A2 NOUVEAU DELF

ALTER ego

MÉTHODE DE FRANÇAIS

2

Annie BERTHET

Catherine HUGOT

Béatrix SAMPSONIS

professeurs formateurs à l'Alliance française de Paris

HACHETTE
Français langue étrangère

www.hachettefle.fr

Conception graphique et couverture : Amarante

Illustrations : Bernard Villiot

Mise en pages : MÉDiAMAX

Coordination éditoriale : Claire Dupuis

ISBN : 978-2-01-155437-7

© Hachette Livre 2006, 43, quai de Grenelle, F 75 905 Paris Cedex 15.

DU CÔTÉ DU **LEXIQUE**

QUALITÉS ET DÉFAUTS

(1)

Pour chaque phrase, choisissez dans la liste suivante l'adjectif qualificatif qui convient.

égoïste – incompétent(e) – jaloux/jalouse – généreux/généreuse – discret/discrète – sincère – fidèle – curieux/curieuse – tolérant(e) – impatient(e)

*Exemple : Marie dit toujours ce qu'elle pense. Elle est **sincère**.*

1. Rachid accepte des opinions différentes : il est ..... *tolérante*
2. Katia donne beaucoup : elle est ..... *généreuse*
3. Antony ne parle pas beaucoup en public : il est ..... *discret*
4. Valérie s'intéresse à beaucoup de choses : elle est ..... *curieuse*
5. Mylène ne sait pas attendre : elle est ..... *impatiente*
6. David ne supporte pas qu'une autre personne s'intéresse à moi : il est ..... *jaloux*
7. Sophie ne fait pas bien son travail : elle est ..... *incompétente*
8. Charles est mon ami depuis dix ans : il est ..... *fidèle*
9. Ingrid pense surtout à elle-même : elle est ..... *égoïste*

2

Barrez l'intrus.

1. la franchise – la sincérité – la fidélité – l'hypocrisie – l'honnêteté
2. l'impatience – l'intolérance – la générosité – la méchanceté – la jalousie
   nasty

DU CÔTÉ DE LA **GRAMMAIRE**

LES PRONOMS RELATIFS

3

Transformez, comme dans l'exemple.

*Exemple : Je l'aime et il m'aime. → C'est quelqu'un **que** j'aime et **qui** m'aime.*

Mon alter ego

1. Je lui ressemble et il me ressemble.
   C'est quelqu'un à qui je ressemble et qui me ressemble
2. Je lui dis tout et il me dit tout.
   C'est quelqu'un à qui je dis tout et qui me dit tout

Mon ennemi

3. Je le déteste et il me déteste aussi.
   C'est quelqu'un que je déteste et qui me déteste
4. Il ne m'adresse pas la parole et je ne lui parle pas non plus.
   C'est quelqu'un qui ne m'adresse pas et à qui je ne parle pas non plus

5. Je le trouve méchant et il ne m'apprécie pas non plus !

C'est quelqu'un que je trouve méchant et qui n'm'apprécie pas non plus

6. Il n'aime pas mes amis et mes amis ne l'aiment pas non plus.

C'est quelqu'un que n'aime pas mes amis et que mes amis n'aiment pas non plus.

4

Complétez avec *que, qui* ou *à qui*.

Courrier des lectrices

à quoi pour a thing

J'ai une amie *qui* s'appelle Emma et *que* j'adore. C'est quelqu'un *à qui* je dis des choses personnelles et *qui* me donne toujours de bons conseils. Mais voilà : en vacances, j'ai fait la connaissance d'une fille, Laura, *qui* est super et *qui* est devenue mon amie aussi. Emma, *à qui* j'ai parlé de Laura, n'a pas apprécié du tout. Avec tristesse, je découvre une nouvelle Emma, *qui* est jalouse et *qui* ne supporte pas d'avoir une « rivale ». Que faire ?

L'ACCORD DU PARTICIPE PASSÉ

5

Accordez le participe passé quand c'est nécessaire.

1. 2. 3.

4. 5. 6.

1. Là, c'est le jour où nous nous sommes rencontré.S..., Chloé et moi. C'était en l'an 2002 et nous avons tout de suite sympathisé.......

2. C'est le jour de notre départ : nous sommes allé.S.... aux États-Unis où nous avons séjourné...... pendant un an.

3. Là, c'est moi, à l'aéroport, le jour où je suis reparti.e.... pour la France. Nous avons promis...... de nous écrire tous les jours quand nous nous sommes quitté.S.....

4. Là, c'est Chloé le jour où elle a épousé...... Alexander Reeves, un bel Américain.

5. Sur cette photo, voilà leur fille, qui est né.e.... en octobre 2004.

6. Ici, je suis avec mes deux amis à l'occasion de mes vingt-cinq ans. On s'est bien amusé...... ce jour-là. C'est pendant cette soirée que j'ai rencontré...... Douglas. Ça a été...... le coup de foudre immédiat avec lui.

love at first sight

DONNER UNE DÉFINITION

6

a) Lisez la définition suivante et dites de quel jour de fête il est question.

C'est un jour qu'on fête plutôt entre amis. C'est quand on danse, on mange beaucoup de bonnes choses et on boit du champagne. C'est quand on s'embrasse aux douze coups de minuit pour fêter la nouvelle année.

☐ **1.** la fête nationale

☐ **2.** le jour de son anniversaire

☐ **3.** Noël

☒ **4.** la Saint-Sylvestre

b) Donnez une définition des autres jours de fête de la liste précédente.

1) C'est un jour quand on fête le liberté du France

2) C'est un jour qu'on fête le anniversaire de votre naissance. C'est on mange gateu et fait votre voeu pour the anneé.

3) C'est un jour on fête le naissance de la bebe Jesu. On donne les cadieu a amis et famille.

7

Classez les éléments de la liste suivante dans le tableau ci-dessous, puis donnez une définition pour chacun.

une panne – pendre la crémaillère – un déménagement – la colère – la superstition – une directrice – un malentendu – l'intolérance – faire de la randonnée – un collègue – l'hypocrisie

Personnes	Événements/Situations	Sentiments/Idées abstraites	Actions
une directrice	prendre la crémaillère	la colère	faire de la randonnée
un collegue	un panne	la superstition	
	un demenagement	l'intolérance	
	un malentendu	l'hypocrisie	

une panne : break down

pendre la crémaillère :

un déménagement : move relocate

la colère : anger

la superstition :

une directrice :

un malentendu : misunderstanding

l'intolérance :

faire de la randonnée : hike

un collègue :

l'hypocrisie : hyp

COMPRENDRE – ÉCRIT 👁

MA STAR ET MOI

8

Lisez l'extrait de programme télé et répondez.

> ## *Ils sont formidables !* ☆☆☆
>
> *Magazine – 20 h 30*
>
> Ce soir, Mireille Alexandre accueille sur le plateau trois hommes et quatre femmes ordinaires, comme vous et moi. Ces personnes vous présenteront, à tour de rôle, la célébrité qu'elles admirent le plus et elles vous diront pourquoi. Leurs invités viennent d'horizons aussi différents que le sport, la politique, la littérature ou bien encore la chanson ou le cinéma. Une belle soirée en perspective.

TV France

1. Il s'agit d'une émission de variétés. ☐ vrai ☐ faux
2. Des anonymes présentent des personnalités qu'ils aiment particulièrement. ☐ vrai ☐ faux
3. Une des personnalités invitée s'appelle Mireille Alexandre. ☐ vrai ☐ faux
4. Les personnalités ont des professions très variées. ☐ vrai ☐ faux

S'EXPRIMER – ÉCRIT ✐

MA STAR ET MOI (SUITE)

9

Vous êtes candidat(e) pour passer dans l'émission *Ils sont formidables !* Sur une feuille séparée, vous écrivez un mél que vous envoyez à Mireille Alexandre pour lui expliquer quelle célébrité vous aimeriez inviter dans son émission.

- Donnez votre nom.
- Indiquez le nom de la célébrité.
- Indiquez son domaine professionnel (littérature, chanson, politique...).
- Expliquez pourquoi vous l'admirez (qualités, parcours de vie...).
- Signez.

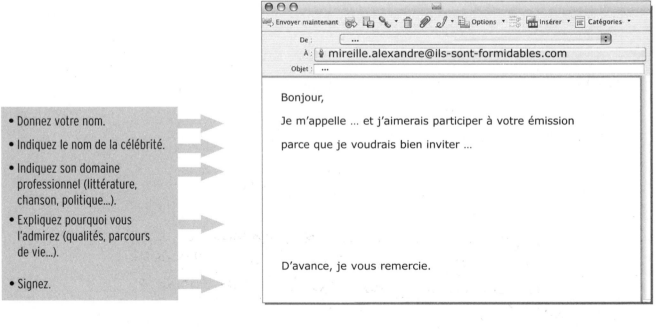

Envoyer maintenant · Options · Insérer · Catégories

De : ...
À : mireille.alexandre@ils-sont-formidables.com
Objet : ...

Bonjour,

Je m'appelle ... et j'aimerais participer à votre émission

parce que je voudrais bien inviter ...

D'avance, je vous remercie.

DU CÔTÉ DU **LEXIQUE**

LES FONCTIONS D'UN GARDIEN D'IMMEUBLE

1

Associez les éléments. (Plusieurs réponses sont parfois possibles.)

Un gardien...

1. rend *d*
2. arrose *water* *c*
3. fait briller *f*
4. surveille *g*
5. nourrit *b*
6. répare *a*
7. s'occupe *h*
8. distribue *e*

a. une fuite d'eau.
b. des/les chats.
c. des/les plantes.
d. service.
e. le courrier.
f. le parquet.
g. les allées et venues.
h. (de) l'immeuble.

FÊTES ET INVITATIONS

2

Complétez les deux messages avec les mots suivants.

rencontre – prendre un verre – organiser – se réunir – invitation – réunion – fêter

1.

Monsieur,

Nous voulons *vous inviter à*
une petite *fête* entre
voisins pour *célébrer* notre
arrivée dans l'immeuble. Ce sera l'occasion
de *réunion* autour
d'un apéritif.

Êtes-vous libre samedi soir à 20 heures ?

Nicolas et Béatrice Normand

2.

MARC FERRY

Madame, monsieur,

Merci de votre gentille *invitation*
mais je ne pourrai pas assister à votre
réunion ce jour-là.
J'espère qu'on pourra *célébrer*
à une autre occasion.

Marc Ferry

DANS ET AUTOUR DE L'IMMEUBLE

3

Classez les lieux à l'intérieur ou à l'extérieur de l'immeuble.

dressing room *roof* *corridor*

la cave – le jardin – la cage d'escalier – la loge – les appartements – le toit – le hall – la cour – le couloir – le parking

À l'intérieur : *la cave   la cage d'escalier la loge
les appartements   le hall   le couloir*

À l'extérieur : *le jardin   la cour   le parking
le toit*

LE DISCOURS INDIRECT AU PRÉSENT

4

Rapportez les questions ou remarques des personnes, comme dans l'exemple.

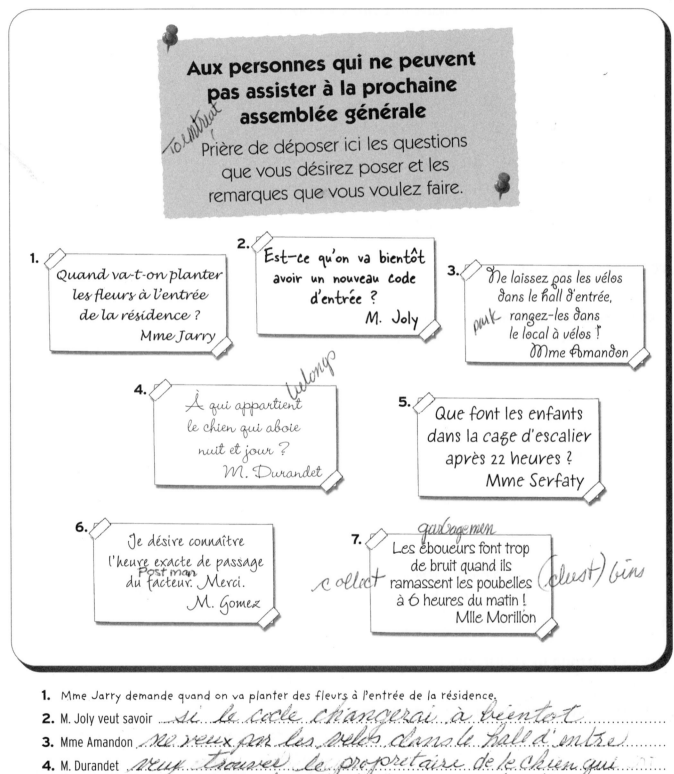

Aux personnes qui ne peuvent pas assister à la prochaine assemblée générale

To entreat

Prière de déposer ici les questions que vous désirez poser et les remarques que vous voulez faire.

1. Quand va-t-on planter les fleurs à l'entrée de la résidence ?
Mme Jarry

2. Est-ce qu'on va bientôt avoir un nouveau code d'entrée ?
M. Joly

3. Ne laissez pas les vélos dans le hall d'entrée, rangez-les dans le local à vélos !
Mme Amandon
park

4. À qui appartient belongs le chien qui aboie nuit et jour ?
M. Durandet

5. Que font les enfants dans la cage d'escalier après 22 heures ?
Mme Serfaty

6. Je désire connaître l'heure exacte de passage du facteur. Merci.
Post man
M. Gomez

7. garbage men
Les éboueurs font trop de bruit quand ils ramassent les poubelles à 6 heures du matin !
Mlle Morillon
collect (dust) bins

1. Mme Jarry demande quand on va planter des fleurs à l'entrée de la résidence.

2. M. Joly veut savoir *si le code changerai à bientôt*

3. Mme Amandon *ne veux pas les vélos dans le hall d'entré*

4. M. Durandet *veux trouve le propretaire de le chien qui*

5. Mme Serfaty *ne veux pas les enfant dans la cage d'escalier*

6. M. Gomez *veut sasvoir a quelle heure le facteur faire de p*

7. Mlle Morillon *veut les éboueurs etre silencieux !*
à six heures du matin

FAIRE DES COMPARAISONS

5

[marginal notes: aussi, autant, also, as much, aussitôt - right away, aussitôt que - as soon as]

Complétez avec la forme qui convient : *aussi* ou *autant (de)*.

La fête s'est … *autant* … bien passée que l'année dernière : il y avait … *autant de* people … monde,

… *autant* … convivialité, le repas était … *aussi* … bon et on a … *autant* …

dansé. De plus, la soirée a duré … *aussi* … longtemps et on a fait … *autant de* … bruit !

6

[marginal notes: mieux adv. comparative of bien, meilleur adj.]

Complétez en utilisant *mieux* ou *meilleur(e)(s)*.

Ici, l'ambiance est … *meilleur* … que dans l'immeuble où je travaillais avant : les gens s'entendent *[note: for each other]*

… *mieux* … entre eux, leurs enfants sont … *meilleur* … éduqués et, globalement, la qualité

de vie est … *meilleur*

7

Comparez les deux immeubles en utilisant un comparatif de supériorité ou d'infériorité : *plus (de)*, *moins (de)*, *meilleur* ou *mieux*.

Vous comparerez :
- le standing ;
a – la taille de l'immeuble, des appartements ;
b – la localisation ;
c – le nombre d'étages ;
d – le prix ;
e – les commodités/le confort.

[marginal note: que than]

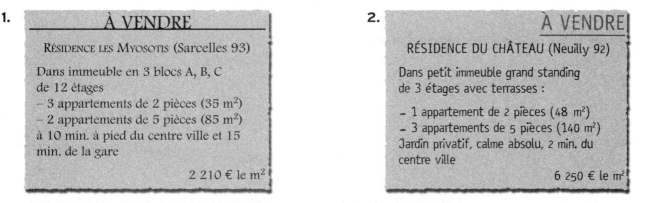

1.

À VENDRE

RÉSIDENCE LES MYOSOTIS (Sarcelles 93)

Dans immeuble en 3 blocs A, B, C
de 12 étages
– 3 appartements de 2 pièces (35 m²)
– 2 appartements de 5 pièces (85 m²)
à 10 min. à pied du centre ville et 15
min. de la gare

2 210 € le m²

2.

À VENDRE

RÉSIDENCE DU CHÂTEAU (Neuilly 92)

Dans petit immeuble grand standing
de 3 étages avec terrasses :

– 1 appartement de 2 pièces (48 m²)
– 3 appartements de 5 pièces (140 m²)
Jardin privatif, calme absolu, 2 min. du
centre ville

6 250 € le m²

Exemples : La résidence du Château est **plus luxueuse/d'un meilleur standing que** la résidence des Myosotis.
La résidence des Myosotis est **moins luxueuse/d'un moins bon standing que** la résidence du Château.

a) La résidence du Château est plus grande que la résidenc Myosotis
La résidence du Vendres est moin grande que la résidence

b) La résidence du château a une meilleur location que

c) La résidence des Myosotis a plus de nombre d'étages que la ré.

d) Le prix de la résidence des myosotis est moins chère que

e) Les commodités de la résidence du Château est meilleur

ÉVOQUER UN ÉVÉNEMENT, RAPPORTER DES PAROLES

8

Remettez le dialogue dans l'ordre.

...6... **a.** LE GARDIEN : Non, bien sûr, chaque personne a apporté quelque chose à boire ou à manger et on a tout partagé.

...7... **b.** LE JOURNALISTE : Les gens étaient satisfaits ?

...4... **c.** LE GARDIEN : Eh bien, depuis cinq ans et, cette année, j'ai organisé un déjeuner avec soixante couverts.

...1... **d.** LE JOURNALISTE : Bonjour, monsieur, les résidents me disent que c'est vous l'organisateur de la fête des voisins dans votre immeuble ?

there is nothing better

...8... **e.** LE GARDIEN : Oui, je crois. Beaucoup me disent qu'il n'y a pas mieux que cette fête pour créer des liens entre voisins.

...9... **f.** LE JOURNALISTE : Merci et bravo pour cette initiative !

...2... **g.** LE GARDIEN : Oui, c'est bien moi qui organise cette fête.

...5... **h.** LE JOURNALISTE : C'est vous qui avez préparé le repas ?

...10... **i.** LE GARDIEN : Je vous en prie, merci à vous et au revoir.

...3... **j.** LE JOURNALISTE : Depuis combien de temps vous occupez-vous de cet événement ?

EN SITUATION

S'EXPRIMER – ÉCRIT ✎

PROFESSION : GARDIEN

9

Sur une feuille séparée, rédigez l'article de presse.

> ## 24 heures dans la vie d'un gardien
>
> *Maurice, 49 ans, est gardien d'immeuble à Paris dans le 18ᵉ arrondissement.*
>
> Chaque matin…
>
> Mme Martin, locataire dans l'immeuble depuis quinze ans, dit de lui que…
>
> Hier, Maurice a eu une journée particulièrement chargée : …

- Évoquez ses principales activités d'une journée.
- Dites ce que deux ou trois habitants pensent de lui.
- Évoquez sa participation active à la fête des voisins qui vient d'avoir lieu.

DU CÔTÉ DU **LEXIQUE**

RENCONTRE AMOUREUSE

1

Complétez les explications de ce metteur en scène, qui s'adresse à un acteur. Utilisez les verbes suivants.
(Faites les modifications nécessaires.)

croiser – rattraper – se rencontrer – se frôler – se retrouver – s'éloigner – se précipiter – se retourner

Alors, pour cette scène, vous allez .... dans la rue. Elle marche devant toi et elle laisse tomber

un foulard sur le trottoir, alors tu vas .... dans sa direction et la ....

Elle va ...., vos mains vont .... quand tu lui remettras son foulard.

Puis tu vas .... son regard quand elle te dira merci. Ensuite tu la regardes ....

sans rien dire. Mais, quelques minutes plus tard, vous allez .... dans une librairie.

2

Cochez la phrase qui ne peut pas raconter un coup de foudre.

Quand je l'ai vu...

- ☐ **1.** Mon cœur s'est mis à battre très fort.
- ☐ **2.** J'ai été électrisée.
- ☐ **3.** J'ai eu un flash.
- ☑ **4.** J'ai eu mal au cœur.
- ☐ **5.** J'ai eu le souffle coupé.
- ☐ **6.** Je suis devenue rouge d'émotion.
- ☐ **7.** Je suis restée sans voix.

DU CÔTÉ DE LA **GRAMMAIRE**

L'IMPARFAIT ET LE PASSÉ COMPOSÉ POUR RACONTER UNE RENCONTRE PASSÉE

3

Transformez le texte au passé. Utilisez les temps qui conviennent.

Quelle histoire ! Je vais à la poste déposer un colis. Devant les guichets, il y a beaucoup de monde, alors je fais la queue et je me place juste derrière une jeune femme. Elle est grande et mince avec de longs cheveux bruns. De temps en temps, elle regarde sa montre et semble s'impatienter. Quand son tour arrive, elle achète un carnet de timbres mais il lui manque 60 centimes d'euros pour payer. Alors je lui propose les 60 centimes d'euros, elle accepte un peu gênée et me donne sa carte de visite en échange. Le soir même, je lui téléphone et nous passons la soirée ensemble.

Quelle histoire ! J'allais à la post déposer un colis. Devant les guichets il y avait beaucoup de monde. Alors j'ai fait la queue et je me plaçais juste derrière une jeune femme. Elle a été grand et mince avec de long cheveux bruns. De temps en temps elle a regardé. Quand son tour est arrivé elle a acheté un carnet de timbres mais il lui il lui manquait 60 centimes d'euros pour payer. Alors je lui ai proposé les 60 centimes. Elle a accepté en peu et me a donné sa carte de visite en échange. Le soir même je lui ai téléphoné et nous avons passé la soirée ensemble.

4

circonstant of action — *imparfait* (handwritten note at top)

Mettez le verbe au temps qui convient. (Faites les modifications nécessaires.)

C' ..*était*.. (être) l'année dernière, je ..*me promenais*.. (se promener) seule sur la plage, je le ..*ai vu*.. (voir) qui ..*arrivait*.. *feather away* (arriver) au loin. Nous ..*avancions*.. *slowly* (avancer) lentement l'un vers l'autre, et quand nous ..*avons eu*.. (être) à un mètre l'un de l'autre, il me ..*a souri*.. (sourire) et il me ..*a proposé*.. (proposer) de continuer ensemble la promenade. Je ..*étais*.. (être) très troublée mais je ..*ai essayé*.. (essayer) d'être naturelle. Et puis tout ..*été allé*.. (aller) très vite : une semaine plus tard, il me ..*a demandé*.. (demander) de l'épouser !

LES MARQUEURS TEMPORELS *IL Y A, PENDANT, DANS*

5

Complétez avec *il y a*, *pendant* ou *dans*.

1. – Regarde, j'ai pris cette photo ..*il y a*.. quinze ans, le jour du mariage de mon amie Barbara. Tu te souviens d'elle ?

– Oui, bien sûr, mais tu la vois toujours ?

– Oh ! On ne s'est plus vues ..*pendant*.. plusieurs années et puis on s'est retrouvées par hasard ..*il y a*.. six mois. Elle est restée mariée ..*pendant*.. cinq ans avec Éric et puis, un jour, elle l'a quitté ; elle va se remarier ..*dans*.. six mois.

– Et son ex-mari ?

– Le pauvre, il a attendu sa femme ..*pendant*.. deux ou trois ans et finalement, ..*il y a*.. un an, il a rencontré une autre femme et ils vont avoir un enfant ..*dans*.. deux ou trois mois.

2.

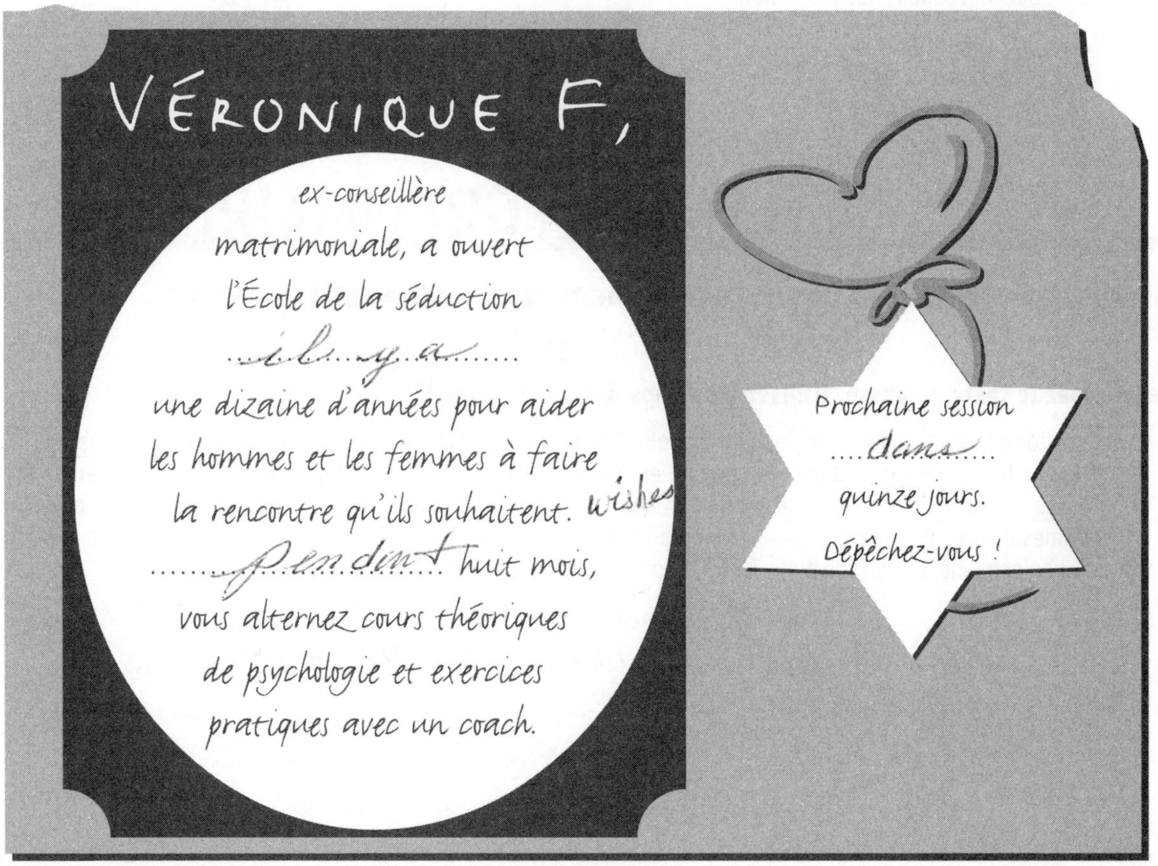

VÉRONIQUE F,

ex-conseillère matrimoniale, a ouvert l'École de la séduction ..*il y a*.. une dizaine d'années pour aider les hommes et les femmes à faire la rencontre qu'ils souhaitent. *wishes* ..*Pendant*.. huit mois, vous alternez cours théoriques de psychologie et exercices pratiques avec un coach.

Prochaine session ..*dans*.. quinze jours. Dépêchez-vous !

PARLER D'UNE RENCONTRE

6

Remettez le dialogue dans l'ordre.

5 **a.** LA JOURNALISTE : Et vous avez eu un véritable coup de foudre cinématographique ? *d*

4 **b.** LE RÉALISATEUR : Non, pas du tout, elle travaillait dans ce magasin. Moi, j'attendais à la caisse pour régler mes achats et, quand ça a été mon tour, je me suis trouvé en face d'elle.

1 **c.** LA JOURNALISTE : Comment avez-vous trouvé la jeune inconnue qui joue le rôle principal dans votre film ?

6 **d.** LE RÉALISATEUR : Oui, tout à fait, elle correspondait exactement à celle que je cherchais.

3 **e.** LA JOURNALISTE : Elle faisait ses courses ? *b*

10 **f.** LE RÉALISATEUR : C'est plus compliqué que ça : j'ai dû retourner la voir pour la convaincre parce qu'elle croyait que c'était une plaisanterie ! *– joke* *convince*

9 **g.** LA JOURNALISTE : J'imagine qu'elle a répondu très vite !

2 **h.** LE RÉALISATEUR : C'était l'année dernière dans un grand magasin.

7 **i.** LA JOURNALISTE : Alors vous lui avez dit : « Je suis réalisateur, je cherche quelqu'un pour mon film, voilà ma carte... »

8 **j.** LE RÉALISATEUR : Non, je n'ai rien dit, je n'ai pas voulu la perturber dans son travail mais je lui ai fait remettre un message avec mes coordonnées.

EN SITUATION

S'EXPRIMER – ÉCRIT ✐

RENCONTRES INSOLITES

7

Vous participez au concours Rencontres insolites organisé par le magazine *Rencontres*.

a) Choisissez un personnage et un lieu.

Qui rencontrez-vous ?

- ▣ l'acteur Brad Pitt
- ▣ un extra-terrestre
- ▣ le footballeur Zinédine Zidane
- ▣ un(e) Pygmée
- ▣ la chanteuse Madonna
- ▣ le couturier John Galliano

Où êtes-vous ?

- ▣ dans un désert
- ▣ dans les couloirs du métro
- ▣ dans un ascenseur
- ▣ au sommet du mont Blanc
- ▣ en pleine mer
- ▣ sur la Lune

b) Sur une feuille séparée, écrivez votre témoignage.

- Précisez :
  - le contexte (où, quand ?) ;
  - les situations/actions en cours au moment de la rencontre.
- Expliquez la rencontre elle-même (ce qui s'est passé).
- Donnez vos impressions.

Ma rencontre avec ...

OFFRES D'EMPLOI

1

Complétez les deux annonces avec les mots suivants.

1. horaires – net – CV – exigé(e) – recrute

HYPERMARCHÉ DE CANNES LA BOCCA

....*recrute*....

vendeur/vendeuse rayon sports

Expérience ......*exigé*........

Salaire ....*net*......... : 1 100 €

horaires.......... : 11 h à 19 h

Envoyer ....*CV*........... + photo

130, avenue Francis-Tomer – 06150 Cannes La Bocca

2. bilingue – lieu – brut – recherche – rémunération

Agence **HEXAGONE**

....*recherche*....

HÔTESSES POUR SALONS ET CONGRÈS

Vous devez être *bilingue*.... ou trilingue.

rémunération. variable selon la mission (13 € *brut*............. de l'heure en moyenne)

lieu............ : région parisienne

RECHERCHE D'EMPLOI

2

Associez les éléments. (Plusieurs réponses sont parfois possibles.)

1. Je suis titulaire d(e) *C*   **a.** un salaire de 2 000 €.

2. Je pose *d*   **b.** une expérience dans le domaine de...

3. Je travaille *h*   **c.** un diplôme de...

4. Je recherche *a e e*   **d.** ma candidature.

5. J'occupe *e*   **e.** un poste d'animateur.

6. Je possède *c g*   **f.** l'anglais.

7. Je maîtrise *g*   **g.** des connaissances en informatique.

8. J'ai *b*   **h.** de 8 h à 17 h.

LES MARQUEURS TEMPORELS *EN, DEPUIS, DE... À, PENDANT*

3

a) Complétez avec le marqueur qui convient. (Faites les modifications nécessaires.)

1.

ATTENTION !

L'agence ANPE a changé d'adresse *depuis*... le 18 septembre : les bureaux sont maintenant au 23, boulevard Robespierre.

Accueil tous les jours .....*de*...... 9 h 30 ....*à*........ 17 h.

Les bureaux restent ouverts *pendant*. l'heure du déjeuner.

2.

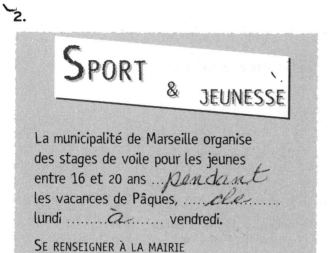

SPORT & JEUNESSE

La municipalité de Marseille organise des stages de voile pour les jeunes entre 16 et 20 ans ...*pendant*... les vacances de Pâques, ...*de*... lundi ...*à*... vendredi.

SE RENSEIGNER À LA MAIRIE

3.

SUCCÈS POUR DOMOPROTECT

La société de gardiennage

DOMOPROTECT

recrute chaque année 120 nouveaux gardiens d'immeubles ...*depuis*... sa création ...*en*... mars 2000.

b) Choisissez le marqueur qui convient.

> Monsieur,
>
> Je ne travaille plus (il y a – pendant – depuis) ...*depuis*... quinze jours :
> j'ai terminé ma période d'intérim (de – en – à) ...*en*... juin 2006 dans votre société et je souhaite assurer une autre mission intérimaire (en – pendant – dans) ...*pendant*... le mois d'août.
>
> Sylvie Dubois

DU CÔTÉ DE LA **COMMUNICATION**

POSTULER POUR UN JOB

(4)

Associez questions et réponses.

1. Quelle est votre formation ? *d*
2. Vous maîtrisez des langues étrangères ? *f*
3. Vous avez déjà suivi un stage ? *b*
4. Quelle est votre situation de famille ? *a*
5. Quels sont vos principaux centres d'intérêt ? *e*
6. Vous avez des connaissances en informatique ? *c*

a. Je suis célibataire.

b. Oui, de mai à août 2004, dans un cabinet d'avocats.

c. Oui, je maîtrise parfaitement Word et Excel.

d. J'ai une licence de droit.

e. Je pratique la boxe et j'adore le cinéma.

f. Oui, l'anglais et l'allemand parfaitement : je suis trilingue.

ÉCRIRE UNE LETTRE DE MOTIVATION

5 Retrouvez l'ordre chronologique des différents paragraphes de la lettre de motivation.

M. Charles Roux
6, quai de la Pêcherie
69001 LYON

À l'attention de M. Clément

Lyon, le 28 mars 2006

Objet : candidature au poste de vendeur/conseiller en maroquinerie de luxe

Monsieur,

5 .... **a.** Je pense donc posséder les qualités pour ce type de poste : langues, excellente présentation, discrétion, sens du contact.

....7... **b.** Dans l'espoir d'une réponse favorable, je vous prie d'agréer, monsieur, mes salutations distinguées.

3 .... **c.** Cette expérience a confirmé ma motivation à travailler dans le domaine de la vente des produits de luxe.

2 .... **d.** Je suis titulaire d'un Brevet de technicien supérieur en Action commerciale et j'ai déjà fait un stage de vendeur dans une boutique de haute couture.

....1... **e.** Suite à votre annonce parue dans « Le Parisien », je vous adresse ma candidature pour la période du 1er juillet au 30 septembre.

....6... **f.** Je me tiens à votre disposition pour vous exposer mes motivations lors *(pendant)* d'un entretien.

4 .... **g.** De plus, je suis bilingue français-anglais (mère anglaise) et j'ai quelques notions de japonais.

Charles Roux

EN SITUATION

S'EXPRIMER – ÉCRIT

UN JOB POUR L'ÉTÉ !

6 Choisissez une petite annonce : vous êtes intéressé(e) par l'emploi proposé. Sur une feuille séparée, rédigez votre CV et une lettre simple de motivation.

1.

n° 344823

CATS AND DOGS
Société de gardiennage animalier
recherche personnel de confiance pour s'occuper
d'ANIMAUX DOMESTIQUES.
• Vous êtes étudiant(e).
• Vous désirez travailler pendant les mois d'été.
• Vous aimez les animaux.
VOTRE MISSION : vous occuper quotidiennement de
chats ou de chiens pendant l'absence de leur maître.
Salaire : 10 € net de l'heure.

2.

n° 827489

VÉLOTAXI
Société privée de transport à vélo
recrute ÉTUDIANTS pour promener
les touristes dans la capitale.

Bonne maîtrise de l'anglais exigée.

Période : de juin à septembre inclus.

Rémunération : salaire fixe + pourboires.

TRAVAIL

1

Barrez l'intrus.

1. employeur – ~~candidat~~ – patron – recruteur
2. boulot – stage – job – travail – ~~emploi~~
3. salaire – paie – rémunération – ~~bénéfice~~
4. ~~retraite~~ – CV – lettre de motivation – entretien
5. expérience – compétences – ~~annonce~~ – diplômes

2

Complétez le message avec les mots suivants. (Faites les modifications nécessaires.)

recrutement(s) – conseil(s) – demandeur(s) – ~~offre(s)~~ = *hiring* embauche(s) – ~~évaluation(s)~~

www.rapidembauche@aol.com est un nouveau site Internet destiné aux *recrutements* d'emploi. Il propose :

– des *conseils* d'emploi à consulter ;

– des informations sur le *demandeurs* dans les principaux secteurs professionnels ;

– des simulations d'entretien de *embauche* en ligne avec une *offres* finale.

Vous pourrez bénéficier aussi de nombreux *evaluations* donnés par des spécialistes.

IMPORTANT !

DONNER DES CONSEILS

3

Formulez les conseils, comme dans l'exemple.

Exemple : être bien informé sur la société
➜ *Si vous êtes bien informé sur la société, vous mettrez toutes les chances de votre côté.*

Conseils pour mettre toutes les chances de son côté lors d'un entretien d'embauche

1. être habillé de manière correcte

   Si *vous êtes* ...., vous mettrez toutes les chances de votre côté.

2. être souriant *smiling*

   Si *vous êtes souriant* ...., vous mettrez toutes les chances de votre côté.

3. se tenir droit ? *stand up*

   Si ...... *Si vous setenez droit* ...., vous mettrez toutes les chances de votre côté.

4. avoir une attitude ouverte (corps légèrement en avant)

   Si *vous avez une attitude* ...., vous mettrez toutes les chances de votre côté.

5. regarder son interlocuteur droit dans les yeux

   Si *vous regardez son interlocuteur* ...., vous mettrez toutes les chances de votre côté.

6. contrôler son langage

   Si *vous controlez son langage* ...., vous mettrez toutes les chances de votre côté.

4

Formulez les conseils. Utilisez *si* + présent, impératif ou *si* + présent, futur.

Exemple : questions personnelles du recruteur — répondre poliment que cela ne concerne pas l'emploi.
➜ *Si le recruteur vous pose des questions personnelles, répondez poliment que cela ne concerne pas l'emploi.*

1. Ne connaître personne dans votre immeuble – aller à la fête des voisins.

Si vous ne connaitz pas ... allez

2. Se tenir droit – le recruteur : une meilleure impression de vous.

Si vous tenez droit le recruteur aura une meilleure

3. Aimer la nature et vouloir rencontrer des gens – s'inscrire dans un club de randonnée.

Si vous aimez la nature et voulez rencontrer s'inscrire

4. Passer des annonces de rencontre sur Internet – être prudent.

Si vous passez des ... serez prudent

5. Se préparer à l'entretien – savoir comment répondre aux questions difficiles.

Si vous preparz saurez comment repondre

6. Poser des questions sur le poste et la société – le recruteur : voir votre intérêt et votre motivation.

LE SUBJONCTIF POUR DONNER UN CONSEIL, EXPRIMER LA NÉCÉSSITÉ

5

Complétez avec le subjonctif.

À propos de l'entretien d'embauche

1. Il faut que les demandeurs d'emploi *s'inscrivent* (s'inscrire) à l'ANPE.

2. Il faut que tu *suives* (suivre) l'atelier de simulation.

3. Il faut que vous *alliez* (aller) régulièrement à l'atelier.

4. Il faut que nous *nous aidions* (s'aider) mutuellement entre stagiaires.

5. Il faut que je *fasse* (faire) des efforts pour mieux m'exprimer.

6. Il faut que l'animatrice *sache* (savoir) encourager les stagiaires.

6

Expliquez le programme de Jérôme, comme dans l'exemple. Utilisez le subjonctif.

Exemple : RV à l'ANPE. *j'aille*
➜ *Il faut que je passe/j'aille/je sois à l'ANPE à 9 heures.*

	9 h	Bureau ANPE.
	10 h	RV avec responsable de l'agence d'intérim.
	12 h *j'aille*	Déjeuner avec le directeur.
	14 h à 17 h	Recherche sur Internet.
		Consulter petites annonces, journal.
		Écrire lettres de motivation.
		S'inscrire au stage d'informatique.
	18 h	Entretien d'embauche.

....

....

....

....

....

....

7

a) Transformez pour indiquer des changements nécessaires, comme dans l'exemple.

Points à améliorer

Exemple : Il est souriant.

→ *Il faut qu'il soit souriant.*

1. Il a l'air sûr de lui.   *il faut qu'il ait*

2. Il dit clairement ses motivations.   *il faut que il dise clairement*

3. Il est attentif à sa tenue vestimentaire.   *il faut que il soit attentif à sa tenue*

4. Il choisit ses formules.   *il faut que il choisisse*

5. Il n'est pas négatif.   Il ne faut pas *il soit négatif*

6. Il se met parfaitement en valeur.   *il faut que il se mette*

b) Donnez des conseils à la personne.

Exemple : Il faut qu'il soit souriant.

→ *Il faut que vous soyez souriant.*

1. ....

2. ....

3. ....

4. ....

5. ....

6. ....

DU CÔTÉ DE LA **COMMUNICATION**

DONNER DES CONSEILS

8

Donnez des conseils en variant les formulations.

Conseils pour vivre en harmonie avec ses voisins

1. être aimable avec ses voisins

êtes

2. respecter leur tranquillité

respetez

3. être discret

êtes

4. ne pas faire de bruit

ne faites pas ....

5. leur rendre des petits services : arroser leurs plantes, garder leurs enfants

leur rendrez arrosez gardez ....

6. les inviter à prendre l'apéritif

.... *invitez* ....

7. assister tous ensemble à la soirée Immeubles en fête

.... *assistez* ....

S'EXPRIMER DANS UN REGISTRE STANDARD OU FAMILIER

9

Lisez les micro-conversations et identifiez le registre utilisé.

	Registre standard	Registre familier
1. – Ton boss, il est bien ? – M'en parle pas ! C'est un nul ! *nul idiot*	☐	☒
2. – Alors, il a réussi son entretien d'embauche ? – Pas du tout, c'est quelqu'un qui l'a aidé à obtenir le poste ! *villian*	☒	☐
3. – Ça marche avec ton collègue ? – Ouais, pas mal, c'est une grande gueule mais, dans le fond, il est pas méchant.	☐	☐
4. – J'ai pas une minute à moi, il est tout le temps sur mon dos ! – T'en fais pas, il part à la retraite dans trois mois. *retire*	☐	☒
5. – Je peux te donner un petit conseil ? – Oui, je t'en prie, je t'écoute...	☒	☐
6. – Mais reste tranquille ! – Ah non ! J'aime pas qu'on me marche sur les pieds ! Il va entendre parler de moi, ce type !	☐	☒
7. – C'est la nouvelle secrétaire. – Ouais, elle est coòl !	☐	☒

EN SITUATION

S'EXPRIMER – ÉCRIT ✎

POUR RÉUSSIR VOTRE ENTRETIEN D'EMBAUCHE

10

L'animateur/animatrice de l'atelier Simulation d'entretien d'embauche remplit ses fiches d'évaluation après le passage :

1. d'un candidat timide ;
2. d'une candidate trop sûre d'elle et séductrice ;
3. d'un candidat bavard et incompétent. *talkative*

Sur une feuille séparée, rédigez les trois fiches.

Évoquez, selon les candidats :
– le comportement ;
– la manière de parler ;
– les choses à dire/ne pas dire.

FICHE D'ÉVALUATION

Nom : ...

Points positifs	Points à améliorer
...	...

DU CÔTÉ DU **LEXIQUE**

EXPÉRIENCES PROFESSIONNELLES

1

Choisissez le mot qui convient.

1. Les étudiants cherchent souvent (un job – une mission) *un job* pour l'été.
2. À la fin de leurs études, ils préfèrent trouver un (stage – emploi à temps complet) *stage*
3. Un (rentier – stagiaire) *stagiaire* n'est pas aussi bien payé qu'un salarié.

2

Associez les éléments. (Plusieurs réponses sont possibles.)

b 1. travailler   **a.** négativement
c 2. réussir   **b.** gratuitement
a 3. juger un travail   **c.** brillamment
d 4. obtenir un stage   **d.** différemment
e 5. trouver un emploi   **e.** difficilement
f 6. effectuer un stage   **f.** positivement

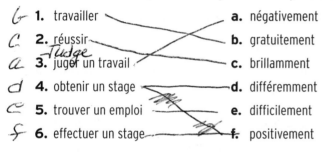

DU CÔTÉ DE LA **GRAMMAIRE**

PASSÉ COMPOSÉ ET PLUS-QUE-PARFAIT

3

Complétez avec le passé composé ou le plus-que-parfait.

Envoyer maintenant   Options ▾   Insérer ▾   Catégories ▾

Salut Romain,

Oui, j'avais très peur le premier jour de mon stage. Mais tout *bien avait se passé* (bien se passer) !
L'entreprise *bien avait fait* (bien faire) les choses : le responsable *avait défini clairement*
(définir clairement) mes tâches, et il *avait désigné* (désigner) une personne pour me former.
On *avait préparé aussi* (préparer aussi) mon planning de la semaine, on *avait réservé*
(réserver) un petit coin bureau pour moi. En plus, on me *avait aussi* (fournir) des tickets
pour la cantine.

Et puis, grosse surprise : les collègues du service *se sont réuni* (se réunir) autour d'un pot
pour fêter mon arrivée. J'étais ravi !

À bientôt !

IMPARFAIT, PLUS-QUE-PARFAIT ET PASSÉ COMPOSÉ

4

Mettez les verbes entre parenthèses aux temps qui conviennent.

Exemple : Ils ... (s'entendre assez bien) parce qu'ils ... (ne jamais travailler) ensemble mais quand ils ... (devoir) partager le même bureau, leur relation ... (beaucoup changer).
*→ Ils **s'entendaient assez bien** parce qu'ils **n'avaient jamais travaillé** ensemble mais quand ils **ont dû** partager le même bureau, leur relation **a beaucoup changé** !*

1. Elles .... (être) très amies et elles *se ... disputé* (ne jamais se disputer) jusqu'au jour où elles *ont tombé* (tomber) amoureuses du même garçon.

2. Jennifer et Momo .... (habiter) le même immeuble mais ils .... (ne jamais se rencontrer) jusqu'au jour où ils *ont fait* (faire) connaissance à la fête des voisins.

3. Leurs enfants *allaient* (aller) dans la même école mais .... (ne jamais jouer) ensemble jusqu'au jour où Miguel .... (inviter) Thomas à son anniversaire.

4. Julien .... (suivre) un stage dans l'entreprise et il .... (ne pas avoir) l'occasion de rencontrer le grand directeur. Mais, un jour, on lui .... (demander) de l'accompagner à Marseille.

5. Je .... (ne jamais parler) à cet homme parce qu'il .... (ne pas être vraiment) mon genre mais, un jour, nos regards .... (se croiser) et ça *a été le coup de foudre* (être) le coup de foudre !

LES ADVERBES POUR DONNER UNE PRÉCISION SUR UNE ACTION

(5)

Reformulez avec l'adverbe correspondant, comme dans l'exemple.

*Exemple : M. Martin se comporte de manière positive. → M. Martin se comporte **positivement**.*

Rapport de stage

1. Mlle Vidal a interrompu son stage *brutalement* (avec brutalité).
2. M. Jimenez est très compétent, *apparemment* (de manière apparente).
3. M. Ming : c'est le meilleur, *incontestablement* (de manière incontestable).
4. M. Fouillol s'est opposé *violemment* (avec violence) à ses collègues.
5. M. Andrieux a tout compris *immédiatement* (de manière immédiate).
6. Mlle Sapin a évolué *lentement* (avec lenteur). *slowness   task adjquent*
7. Mme Claivaux a accepté *spontanément* (de manière spontanée) toutes les tâches proposées. *c'un mean spot with no accent   Tache*

LES PRONOMS INDÉFINIS

6

Complétez avec *rien*, *quelqu'un*, *quelque part*, *nulle part* ou *quelque chose*.

.... lui avait présenté Maria le jour de la fête des voisins et elle lui avait tout de suite plu : elle avait .... de mystérieux ; mais Franck était très timide et ils ne s'étaient presque .... dit. Les jours suivants, il avait cherché Maria un peu partout mais il ne la trouvait .... Et puis, la semaine dernière, il a appris qu'elle était partie ...., vers une destination inconnue.

7

Transformez, comme dans l'exemple.

Exemple : Ce stagiaire ne comprend rien.
➔ *Ce stagiaire n'a rien compris.*

Bilan de stage

1. Personne n'apprécie ce stagiaire.

....

2. Ce stagiaire ne s'entend avec personne.

....

3. Ce stagiaire n'écoute rien.

....

4. Rien n'intéresse ce stagiaire.

....

5. Ce stagiaire ne remercie personne.

....

DU CÔTÉ DE LA **COMMUNICATION**

FAIRE LE BILAN D'UN STAGE

8

Répondez aux questions du journaliste. Aidez-vous de la fiche Bilan de stage.

○○○ ○○○ ○○○ ○○○ ○○○ ○○○ ○○○ ○○○
BILAN DE STAGE
Stagiaire : **EVERY Max**
Bilan général : +++
Relations : +++
Nature des tâches effectuées : +++
Rémunération : +

1. Monsieur, êtes-vous globalement satisfait de votre stage ?

....

2. Comment ont été vos contacts avec le personnel ?

....

3. Que pensez-vous des tâches qu'on vous a données à faire ?

....

4. Est-ce qu'on vous a payé pour ce stage ?

....

COMPRENDRE – ÉCRIT 👁

POÈME

9

Lisez le poème et répondez. Justifiez ensuite vos réponses.

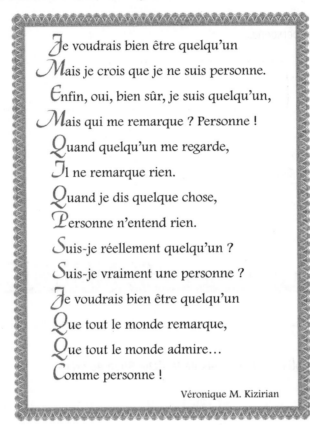

> Je voudrais bien être quelqu'un
> Mais je crois que je ne suis personne.
> Enfin, oui, bien sûr, je suis quelqu'un,
> Mais qui me remarque ? Personne !
> Quand quelqu'un me regarde,
> Il ne remarque rien.
> Quand je dis quelque chose,
> Personne n'entend rien.
> Suis-je réellement quelqu'un ?
> Suis-je vraiment une personne ?
> Je voudrais bien être quelqu'un
> Que tout le monde remarque,
> Que tout le monde admire…
> Comme personne !
>
> Véronique M. Kizirian

1. La personne qui s'exprime est-elle : ▣ anonyme ? ▣ célèbre ?

   ....

2. Est-ce qu'elle est : ▣ satisfaite ? ▣ insatisfaite de sa vie ?

   ....

S'EXPRIMER – ÉCRIT ✎

RAPPORT DE STAGE

10

Dans le cadre de vos études, vous venez d'effectuer un stage dans une entreprise. Sur une feuille séparée, rédigez votre rapport de stage.

Donnez les informations suivantes :
• nom, âge ;
• lieu du stage ;
• formation/diplôme(s) antérieurs ;
• historique de la recherche de stage ;
• durée du stage ;
• type de tâches réalisées pendant cette période ;
• bilan global.

AVANTAGES ET ATTITUDES

1

Choisissez la formule correcte.

Excellentes vacances !

Tout s'est superbien passé cette semaine ! On a (fait preuve - eu droit - bénéficié) *bénéfic* d'une météo exceptionnelle. Le personnel a toujours (fait part - fait preuve - *fait proof*)

bénéficié) *fait part* d'une grande gentillesse et on a même ? (bénéficié - eu droit - obtenu) *eu droit* à (*priveledge*) un spectacle de grande qualité le dernier soir.

Bravo au club Atlantique !

RIRE

2

Complétez le message avec les mots suivants. (Faites les modifications nécessaires.)

joke Tohave *make fun of* *to joke Toare make fun of*

blaguer – rire – comique – se moquer – humour – plaisanter – humoriste – s'amuser

Samedi 15 août

SALLE DES FÊTES

Un spectacle *comique* qui vous fera *rire* aux larmes. Le *humoriste* Mario Marini *blaguet* avec réalisme, *plaisante* de nous, les Français, et *se moquet* sur nos défauts. Deux heures de *humour* pour *s'amusant* en famille ou entre amis.

LES PRONOMS RELATIFS *OÙ* ET *DONT*

3

Où ou *dont* ? Complétez les descriptions avec le pronom relatif qui convient.

Paris est tout d'abord une ville *dont* (*de cette ville*) les monuments nous ont paru incroyablement anciens. Près de l'Hôtel de Ville, le propriétaire d'un restaurant nous a fait visiter sa cave *où* nous avons pu admirer des fondations du XIIIe siècle ! Au cœur du Quartier latin, nous avons visité le site d'une arène romaine *dont* la construction date du Ier siècle après Jésus-Christ. C'était incroyable de penser que, dans ce parc *où* des petits Français jouaient au ballon, dix mille citoyens de l'Empire romain avaient assisté à des combats de gladiateurs. Comme beaucoup de Nord-Américains durant notre séjour en France, nous n'avons jamais cessé de nous émerveiller de ce pays *dont* les habitants mènent une vie moderne au beau milieu de ruines romaines et d'églises du Moyen Âge !

4

Transformez, comme dans l'exemple.

Exemple : Le TGV s'arrête cinq minutes <u>dans cette ville</u> avant de repartir pour Amsterdam. Le Parisien ne connaît souvent que la gare <u>de cette ville</u>.

*→ C'est une ville **où** le TGV s'arrête cinq minutes avant de repartir pour Amsterdam. C'est une ville **dont** le Parisien ne connaît souvent que la gare.*

Bruxelles, une capitale européenne

1. On négocie les tarifs des produits européens <u>dans cette ville</u>.

C'est une ville *où on négocie les tarif de produits européens*

2. Les ministres et les diplomates se réunissent <u>dans cette ville</u>.

C'est une ville où les ministres et les diplomates se réuni

3. Les 12 000 fonctionnaires internationaux <u>de cette ville</u> aiment l'ambiance cosmopolite mais tranquille.

C'est une ville dont les 12000 fonctionnaires internationaux aiment l'ambian cosmopolite mais tranquille

Bruxelles, un art de vivre

4. Les appartements <u>de cette ville</u> sont vastes et loués à des prix raisonnables.

C'est une ville dont les appartments

5. On peut manger toutes les cuisines du monde <u>dans cette ville</u>.

C'est une ville où on peut manger toutes les cuisines du mon

6. On peut entendre parler toutes les langues <u>dans cette ville</u>, confortablement assis à la terrasse d'un café.

C'est une ville où on peut entendre parler toutes les langues confortablemen assis à la terrase d'un cafe

LES PRONOMS DÉMONSTRATIFS

5

Supprimez les répétitions : remplacez les éléments entre parenthèses par le pronom démonstratif qui convient.

1. Je sais qu'elle adore les parfums et particulièrement *ceux* (les parfums) qui sont frais.

2. – C'est bien cette rue qu'il faut prendre pour aller à la gare ?

– Oui, mais prenez plutôt *celle-ci* (cette rue), c'est plus court par là.

3. Il y a les monuments qui sont célèbres dans le monde entier, il y a *ceux* (les monuments) qui symbolisent tout un pays et puis il y a *ceux* (les monuments) qu'on découvre au hasard d'une promenade comme *celui-là* (ce monument-là).

4. Si vous préférez un modèle plus original, vous avez *celui-ci* (ce modèle) ou bien *celui* (le modèle) de la vitrine, qui est très bien aussi.

6

Complétez avec *celui/celle(s)/ceux, celui-ci/celle(s)-ci/ceux-ci* **ou** *celui-là/celle(s)-là/ceux-là.*

1. – Je voudrais un livre sur les histoires belges.

– ..*celui-ci*..?

– Non, je préfère ..*celui-là*.., merci.

2. – Vous avez des cartes postales anciennes comme ..*celle*.. de la vitrine ?

– Oui, mais je peux aussi vous montrer ..*celles*..

3. – Tu as vu la B.D. ?

– ..*celle-ci*..?

– Non, ..*celle*.. de Tintin.

4. – Tu connais ces gens-là ?

which ones
– Lesquels ? ..*ceux*.. qui sont assis là-bas ? *racheter = repurchase*

– Bien sûr ! Ce sont ..*ceux*.. qui ont racheté le Café du commerce.

5. – Tu peux me passer un de tes stylos, s'il te plaît ?

– ..*celui-ci*.. ou ..*celui-là*.. ?

– Le bleu, ça ira.

DU CÔTÉ DE LA **COMMUNICATION**

PARLER D'UN PAYS ET DE SES HABITANTS

7

Des personnes parlent de différents pays qu'elles viennent de visiter. Elles évoquent :

– la mentalité des habitants :
towards
a. l'attitude envers les touristes ;
b. l'attitude envers les animaux ;
c. l'attitude des automobilistes ;
d. l'attitude au travail ;
e. l'attitude envers la politique ;

– les conditions de vie :
f. la santé/la protection sociale ;
g. la durée de vie ;
h. le niveau de vie économique ;
i. la tradition/les habitudes culinaires ;
j. l'histoire.

Associez chaque remarque suivante à une des catégories ci-dessus.

...... **1.** Il existe une grande tradition d'hospitalité dans ce pays. L'étranger y est traité avec considération.

...... **2.** Dans ce pays, l'espérance de vie est très élevée, sans doute grâce à un régime alimentaire très équilibré.

..*i*.. **3.** La cuisine est très raffinée, c'est peut-être l'une des meilleures au monde : un véritable art de vivre !

..*d*.. **4.** Les habitants ont la réputation d'être disciplinés et très travailleurs.

...... **5.** Les monuments qu'on visite sur place sont là pour témoigner de la grandeur des civilisations passées.

..*b*.. **6.** On voit beaucoup de chiens et de chats abandonnés dans les rues !

...... **7.** Il y a un grand fossé entre les riches et les pauvres et la classe moyenne est presque inexistante.

..*f*.. **8.** Dans ce pays, vous ne bénéficiez pas automatiquement d'une assurance maladie quand vous travaillez.

..*c*.. **9.** La circulation, c'est vraiment folklorique là-bas ! *nobody respects* Personne ne respecte les feux de signalisation *traffic light* et tout le monde klaxonne ! *horns*

..*e*.. **10.** Une partie de la population est opposée au gouvernement et il y a souvent des manifestations pour protester contre l'action gouvernementale.

COMPRENDRE – ÉCRIT 👁

UN PAYS DE RÊVE !

8

Vrai ou faux ? Lisez le document et répondez.

> *Contest*
>
> ## Concours LE PARADIS SUR TERRE
> ## ORGANISÉ PAR LA COMPAGNIE AÉRIENNE
> ## FRANCE AIR
>
> Chacun a dans la tête l'image d'un pays idéal, d'un lieu idéal, chacun a dans la tête son paradis, peut-être celui des musiciens des milliardaires, des écologistes, des paresseux ou bien des enfants.
>
> Parlez-nous de **votre paradis**.
> France Air offre à ceux qui ont écrit les trois meilleurs textes un **voyage d'une semaine** pour la destination de leur choix.
>
> Envoyez vos textes à **France Air, 17, boulevard du Montparnasse, 75014 Paris** ou à **www.franceair@yahoo.com**

1. Le concours s'adresse à des professionnels du voyage.   ☐ vrai   ☑ faux
2. Il faut décrire l'endroit de ses rêves.   ☑ vrai   ☐ faux
3. On récompensera trois personnes.   ☑ vrai   ☐ faux
4. On offrira le même voyage à tous les gagnants.   ☐ vrai   ☑ faux

S'EXPRIMER – ÉCRIT ✐

UN PAYS DE RÊVE ! (SUITE)

9

Vous participez au concours Le paradis sur Terre. Sur une feuille séparée, écrivez un court texte pour présenter ce pays ou cet endroit.

- Choisissez un type de paradis (celui des musiciens, etc.).
- Évoquez les conditions de vie.
- Donnez des informations sur les habitants.

LE PARADIS DES ...

C'est un endroit / pays ...

TOURISME VERT

(1)

Choisissez le mot qui convient.

À LOUER AU BLEYMARD-MONT LOZÈRE : plusieurs (hôtel(s) – gîte(s)) ruraux ....

Ils sont tous situés à proximité d'un (sentier – couloir) .....*sentier*....... de randonnée, d'un (tour – circuit) ....*tour*........ pédestre, VTT[1] ou cyclotourisme, et proposent plusieurs formules d'(habitat – hébergement) .....*hébergement*... en demi-pension ou en pension (complète – totale) ....*complète*...

Ouvert toute l'année, tarifs spéciaux en (basse – petite) ......*basse*....... saison.

Sur place : (achat – location) ....*location*.... possible de VTT.

1. *VTT :* vélo tout-terrain.

2

Trouvez les réponses des devinettes.

1. On doit la confirmer avant son arrivée : la R *ESERVATIO* N.
2. On y va pour dormir sous une tente : un C *AMPLI* G.
3. On peut en faire à pied ou à vélo pour découvrir les paysages : une R *andonne* E.
4. La nature y est protégée : un P *ARC* N *ATURAL* L.
5. On peut les utiliser pour porter les bagages pendant la randonnée et les enfants les adorent : les Â *NI* S.
6. On peut en louer un quand on veut un hébergement à la campagne : un G *ITE*.

LES PRONOMS *EN* ET *Y* DE LIEU

(3)

Devinez de quel lieu on parle. (Plusieurs réponses sont parfois possibles.)

Exemples : On y va pour se reposer. → *dans son lit/en vacances*
Il est interdit d'en sortir. → *de prison*

1. On y va pour se baigner : ....*la salle de bain*....
2. On y va pour faire des rencontres : ...*à un parc*...
3. On en revient tout bronzé : ...*une vacance dans le soleil*...
4. On n'aime pas y aller : ......*le dentiste*...
5. On en ressort transformé : ...*un spa*...
6. On en repart épuisé : ....*un randonnee dans les montagnes*...

4

Complétez les messages publicitaires avec le pronom qui convient.

Au cœur de la France : l'Auvergne

1. On ...*en*... revient en pleine forme et avec des souvenirs inoubliables !
2. Vous n' ...*y*... viendrez plus par hasard. *more by chance*
3. Venez-...*y*... pour le week-end, vous ...*en*... repartirez à regret. *go back there*
4. Quand vous connaîtrez la magie des lieux, vous n'aurez qu'une idée : ...*y*... retourner bien vite.
5. La première fois, on ...*y*... va sans savoir puis on ...*en*... revient enchanté et on ...*y*... retourne pour le plaisir.
6. Vous n' ...*y*... êtes encore jamais allé ? Alors, allez-...*y*... sans tarder ! *never again*

LE GÉRONDIF

5

Transformez, comme dans l'exemple.

Exemple : J'ai découvert le cœur de la France : je suis allé en Auvergne.
→ *J'ai découvert le cœur de la France **en allant** en Auvergne.*

1. Nous avons économisé beaucoup d'argent : nous avons choisi de faire du camping.
   Nous avons economise beaucoup d'argent en choisiant de faire du ca
2. Ils ont vécu un week-end extraordinaire : ils ont navigué sur le canal du Midi.
   En navigant sur le canal du Midi ils ont vecu un weekend
3. Vous verrez de merveilleux paysages : vous ferez une randonnée pédestre.
   Vous verrez de merveilleux paysages en ferant un randonnee
4. Tu vas faire plaisir aux enfants : tu vas leur offrir une promenade à dos d'âne.
   Tu vas faire plaisir aux enfant en leur offrant un prom
5. Je profite du calme et de la nature : je séjourne dans un gîte.
   Je profite du calme et de la Nature en sejournant dans un gîte
6. On oublie son stress quand on arrive dans les Cévennes.
   On oublie son stress quand arrivant dans les Cévennes

DU CÔTÉ DE LA COMMUNICATION

DEMANDER/DONNER DES INFORMATIONS SUR LES PRESTATIONS TOURISTIQUES

6

Pour chaque situation, cochez les énoncés corrects.

1. Vous précisez le type d'hébergement.
   - ☒ **a.** Je loge dans un gîte.
   - ☒ **b.** Je descends dans un hôtel.
   - ☐ **c.** Je séjourne dans la région.
   - ☐ **d.** Je vais dans une agence.

2. Vous donnez une indication sur les prix.
   - ☐ **a.** Je suis parti en basse saison.
   - ☒ **b.** J'ai bénéficié d'un tarif réduit.
   - ☐ **c.** J'ai choisi la formule en pension complète.
   - ☒ **d.** J'ai obtenu une réduction de 10 %.

3. Vous précisez le type de séjour.
   - ☐ **a.** Je suis resté une journée et demie.
   - ☒ **b.** J'ai pris la pension complète.
   - ☐ **c.** J'ai acheté une pension.
   - ☒ **d.** J'ai choisi la formule chambre + petit déjeuner.

4. Vous parlez de vos activités touristiques.
   - ☒ **a.** On a fait des randonnées.
   - ☒ **b.** On a visité la région.
   - ☐ **c.** On est parti en groupe.
   - ☐ **d.** On a réservé une chambre d'hôte.

7

Associez questions et réponses.

d **1.** C'est 95 € par personne pendant toute l'année ?

e **2.** On dort où, le soir ?

b **3.** Il y a des tarifs spéciaux pour les groupes ?

c **4.** Quel type de paysages on va découvrir ?

a **5.** Est-ce qu'on monte sur les ânes pendant la randonnée ?

a. Non, vous marchez à pied et les animaux portent les bagages.

b. Oui, à partir de cinq personnes.

c. Vous traversez des parcs naturels. Alors, c'est une nature sauvage.

d. Non, hors saison, c'est moins cher.

e. Dans un gîte ou sous la tente.

COMPRENDRE – ÉCRIT ✎

VACANCES AU VERT

8

Votre séjour à la ferme d'Esclanèdes se termine. Sur une feuille séparée, vous écrivez une carte postale de vacances à un(e) ami(e) ou à un(e) parent(e).

- Précisez :
  - le nom du destinataire (formule d'appel) ;
  - la région où vous êtes ;
  - avec qui vous êtes parti(e) ;
  - la durée du séjour ;
  - les activités effectuées sur place ;
  - le type d'hébergement ;
  - le prix total de ce séjour.
- Terminez par une formule d'affection.
- Signez.

FERME D'ESCLANÈDES
JARDIN DE DÉCOUVERTE
GÎTE – FERME – ÂNES –
CAMPING – CONTACT

Venez cueillir fruits et légumes
sur les collines ensoleillées des Cévennes.

Jean-Michel, jardinier passionné, vous emmènera pour une randonnée aromatique ; il vous initiera à l'univers des plantes sauvages et des fruits et légumes rares.

Si vous en avez l'envie, vous pourrez partager avec Martine les soins quotidiens à donner aux plantes et aux animaux (moutons, ânes, lapins).

Chez eux, vous pourrez acheter des légumes de saison, des fruits du verger, des confitures, des fleurs séchées, des plantes aromatiques.

Jean-Michel et Martine PAGES, ferme d'Esclanèdes
48160 Saint-Hilaire-de-Lavit
email : fermesclanèdes@cévennes.com
tél (+33) 04 66 48 23 23

LA VIE DANS UNE GRANDE VILLE

1

Classez les caractéristiques suivantes dans les deux catégories ci-dessous.

des hauts salaires – le bruit – un important réseau de transports – une offre de soins de qualité – la pollution –
des loyers élevés – de nombreux divertissements – un coût élevé des transports – l'insécurité –
un grand nombre et une bonne variété de commerces – un coût de la vie élevé –
des temps de transport très longs – un nombre important d'entreprises – une vie culturelle intense

(annotations manuscrites : network, care, rent, coût - cost)

Avantages	Inconvénients
des hauts salaires	le bruit
un important réseau de transports	la pollution
une offre de soins de qualité	de loyers élevés
de nombreux divertissement	un coût élevé de tr.
un grand nombre et une bonne variété	l'insécurité
un nombre important d'entreprise	un coût la vie élevé
une vie culturelle intense	des temps de transport très long

2

Associez les éléments des trois colonnes. (De nombreuses combinaisons sont possibles !)

Petit tour d'Europe

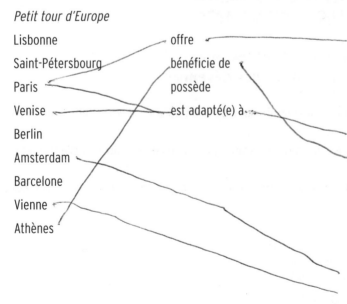

Lisbonne — offre — une excellente qualité de vie

Saint-Pétersbourg — bénéficie de — des larges avenues

Paris — possède — un passé historique prestigieux

Venise — est adapté(e) à — la circulation fluviale *flowing*

Berlin — ceux qui n'ont pas de voiture

Amsterdam — un climat privilégié

Barcelone — les plus beaux monuments au monde

Vienne — une grande variété de divertissements *entertainment amusement*

Athènes — une situation géographique incomparable

un grand nombre d'espaces verts

beaucoup de canaux *canals*

une grande richesse architecturale

une hospitalité légendaire

LE SUPERLATIF

3

Complétez les formulations de sens identique, comme dans l'exemple.

Exemple : Là où il y a le moins de sécurité = là où la sécurité est jamais *... bonne.*

→ *Là où la sécurité est* **la moins** *bonne.*

1. Là où il y a le moins de bruit = là où c'est ...... *le plus* ...... calme.
2. Là où on circule le moins facilement = là où il y a ...... *le plus* ...... difficultés de circulation.
3. Là où il y a le plus de pollution = là où l'environnement est ...... *le plus* ...... pollué.
4. Là où on gagne le plus = là où on a ...... *le plus* ...... salaire.
5. Là où on reçoit les meilleurs soins = là où on est ...... *le moins* ...... soigné.
6. Là où on s'amuse le mieux = là où il y a ...... *le plus de* ...... divertissements.

4

Observez le tableau comparatif de sept pays européens. Indiquez pour chaque critère le premier pays et le dernier.

Exemple : Densité : sur sept pays, c'est le Royaume-Uni qui a la plus forte densité de population/a le plus d'habitants au m².

	Superficie en km²	Population en millions d'hab.	Densité en hab./km²	PNB[1]/habitant en US dollars
Allemagne	356 910	82,5	231	28 800
Autriche	83 849	8,2	98	28 110
Espagne	504 782	43,5	86	14 370
France	551 602	62,5	97	26 270
Italie	301 270	58,7	195	19 800
Pologne	312 677	38,2	118	3 230
Royaume-Uni	244 101	60,1	245	19 600

Gross National Product   Standard.

1. *PNB :* Produit national brut (donne une information sur le niveau de vie).

....
....
....
....
....
....
....
....
....
....
....

CE QUI/CE QUE..., C'EST POUR METTRE EN RELIEF

5

a) Complétez avec *ce qui* ou *ce que*.

b) Répondez au questionnaire.

VIVRE EN VILLE

Dans une grande ville,

1. ...*Ce que*... vous appréciez le plus, c'est/ce sont :
   - ✗ le choix des divertissements
   - ▪ la qualité des transports en commun
   - ▪ le dynamisme des habitants
   - ▪ autre

2. ...*Ce que*... vous détestez le plus, c'est/ce sont :
   - ▪ les embouteillages *Traffic jams*
   - ✗ le coût de la vie
   - ▪ l'insécurité
   - ▪ autre

   lack · absence

3. ...*Ce que*... vous manque le plus, c'est/ce sont :
   - ▪ la nature
   - ✗ la solitude
   - ▪ le bon air
   - ▪ autre

Dans la rue,

4. ...*Ce qui*... vous amuse le plus, c'est/ce sont :
   - ✗ les touristes
   - (?) ▪ les tenues vestimentaires des passants
   - ▪ les gens pressés
   - ▪ autre

5. ...*Ce que*... vous regardez en priorité, c'est/ce sont :
   - ▪ les magasins
   - ▪ les passant(e)s
   - ✗ les voitures
   - ▪ autre

   shock surprise overall

6. ...*Ce qui*... vous choque surtout, c'est/ce sont :
   - ▪ les mendiants[1] *begger*
   - ▪ la foule *crowds*
   - ✗ le bruit
   - ▪ autre

1. *Un mendiant :* une personne qui demande de l'argent aux passants.

6

Expliquez vos préférences, comme dans l'exemple.

Attraction

Exemple : critère d'attirance pour une femme (attirer)

→ Ce qui m'attire chez une femme, c'est son élégance/sourire.

1. critère de sélection d'un ami (rechercher)

...*Ce qui amuse moi d'un ami c'est son rire*...

2. critère de non-attirance pour un homme/une femme (déplaire) *displeases*

Attraction

...*Ce qui deplait moi dans un homme c'est arrogance*...

3. critère de qualité d'un directeur (apprécier)

....

4. critère de préférence pour un(e) collègue (préférer)

...*Ce que je prefere pour un collegue c'est diligence*...

5. critère de sympathie pour un(e) voisin(e) (plaire)

...*Ce qui me plais pour un voisine c'est tranquility*...

PARLER DE SON LIEU DE VIE

7

Retrouvez l'ordre de la conversation.

_4._ **a.** KARIM : Non, en banlieue. Je dois prendre ma voiture pour aller au bureau ; ce qui est insupportable là-bas, c'est la circulation.

_11._ **b.** VANESSA : C'est super ! Tu dois être bien payé maintenant.

_6._ **c.** KARIM : Tout simplement parce qu'en train et métro il me faut 1 h 20 et en voiture trois quarts d'heure, même avec les embouteillages !

_7._ **d.** VANESSA : Alors, finalement, la vie à Paris, c'est bien ou c'est pas bien ?

_2._ **e.** KARIM : Ben, je suis en région parisienne depuis six mois pour mon travail.

_5._ **f.** VANESSA : Mais pourquoi tu ne prends pas les transports en commun comme tous les Parisiens ?

_12._ **g.** KARIM : Oui, c'est vrai, mais c'est à Paris que les loyers sont les plus élevés et, finalement, je dépense le tiers de mon salaire pour un petit appartement en banlieue. _outskirts_

_3._ **h.** VANESSA : Ça doit te changer de Nice ! Tu t'habitues à la capitale ?

_8._ **i.** KARIM : Oui et non, c'est certain, il y a des avantages, c'est extra pour les sorties, les musées, le ciné mais ce qui me manque le plus, c'est le soleil et la mer !

_9._ **j.** VANESSA : Ah bon ! Tu n'habites pas dans Paris même ?

_10._ **k.** KARIM : C'est un peu dur mais ce que j'apprécie surtout, c'est mon job. Je suis responsable d'un service d'import-export. _hard   overall_

_1._ **l.** VANESSA : Salut, Karim, alors il y a longtemps que je ne t'ai pas vu !

EN SITUATION

S'EXPRIMER – ÉCRIT ✎

CAPITALES DU MONDE

8

Rédigez, sur une feuille séparée, une page de guide touristique sur la capitale de votre pays. Vous parlerez de ses particularités par rapport aux autres villes du pays en évoquant les critères suivants.

- la situation géographique, le climat
- le nombre d'habitants
- le niveau de vie
- le coût des loyers
- les aménagements urbains : transports, espaces verts, commerces, hôtels
- la vie culturelle (divertissements, festivals, etc.)
- le patrimoine architectural (les monuments)
- les spécialités artisanales et gastronomiques

La capitale, ..., se trouve...

 ★ REGARDS SUR...

ESCAPADE À ...

9

Le magazine de tourisme *Partir* publie chaque semaine le témoignage d'un lecteur qui vient de visiter une ville étrangère.
De retour de voyage, vous rédigez sur une feuille séparée votre témoignage pour l'envoyer au magazine.

Précisez ce que vous avez aimé, ce qui vous a surpris(e) ou choqué(e) ou ce que vous avez détesté.

Je reviens d'un week-end à... et...

PRESSE ÉCRITE

1
Trouvez les mots manquants.

NOUVELLE FORMULE !

Actually!

VOTRE HEBDOMADAIRE ACTU FAIT PEAU NEUVE ! *-skin* *turn over a new leaf*

NOUVELLES R■■■■■■■S *ubrique*

DES A■■■■■S PLUS CLAIRS ET TOUJOURS PLUS D'I■■■■■■■■S *Articles* *information*

AU S■■■■■■E LA SEMAINE PROCHAINE : *ommaine*

LE VOYAGE DU PRÉSIDENT, LA GRÈVE DES TRANSPORTS, ÊTRE JEUNE AUJOURD'HUI...

ET BEAUCOUP D'AUTRES SUJETS.

EN VENTE EN K■■■■■E CHAQUE JEUDI AU PRIX DE 3,50 € *iosck*

2
Associez chaque titre à sa rubrique.

1.
Pluies abondantes
sur l'ensemble du territoire
pour le week-end

.... *Meteo* ....

5.
Natalité en hausse :
bienvenue
aux bébés français

.... *Societe* ....

2.
PANIQUE À LA BOURSE
DE NEW YORK

.... *International* ....

6.
Crise majeure
au gouvernement

.... *La Politique* ....

3.
Accidents en série
sur l'autoroute

.... *Les Faits Divers* ....

7.
Mise en vente du vaccin
contre la grippe

.... *Vivre mieux ou Sante* ....

4.
**Finale dames
à Roland-Garros**

.... *Les jeux* ....

8.
Tout sur la collection
prêt-à-porter automne-hiver

.... *La mode* ....

TÉLÉVISION ET RADIO

3

chaîne stereo = stereo (handwritten)

Classez les mots suivants dans les trois catégories ci-dessous.

un auditeur – un programme – une chaîne – une émission – un poste – un téléspectateur – une station – une (re)diffusion – un reportage – le journal – un flash – un journaliste – une publicité – l'antenne – l'audience – un émetteur – un documentaire – un animateur – un débat – une série

Télévision : *un programme une émission un poste un téléspectateur un reportage le journal*

Radio : *un auditeur station*

Télévision et radio : *une station une diffusion*

Chaîne – télévision (handwritten)

4

Rétablissez la cohérence du texte en remplaçant les mots entre parenthèses par un des mots suivants. (Certains mots sont utilisés plusieurs fois.)

journal/journaux – chaîne(s) – flash infos – documentaire(s) – station(s) – animateur(s) – téléspectateur(s) – audience(s) – poste – reportage(s) – auditeur(s)

D'après une étude récente sur l'(annonce) .... des (stations) .... de télévision et des (chaînes) .... de radio, les (téléspectateurs) .... choisissent en priorité les radios musicales et les (auditeurs) .... préfèrent la télévision publique. Pour la télévision, la (station) .... culturelle arrive en première position, pour la qualité de ses (publicités) .... et de ses (séries)........................... Sur la (station) .... du divertissement, ils apprécient particulièrement les débats et les (journalistes) *animateurs*....... qui les présentent. Pour s'informer, les choix sont différents selon le moment de la journée : les (téléspectateurs) .... déclarent qu'ils préfèrent écouter le (reportage) .... sur leur (émetteur) *poste*........... de radio le matin. Mais le soir, ils regardent le (programme) *journal*........ à la télévision pour voir en images les événements de la journée.

DU CÔTÉ DE LA **GRAMMAIRE**

LA NOMINALISATION

5

Transformez, comme dans l'exemple.

Exemple : Les étudiants ont manifesté hier.
➜ *Manifestation des étudiants hier*

1. L'équipe gouvernementale est divisée.

Divisément de l'équipe gouvernemental

2. Loana Misrahi et John Accors divorcent !

La divorce des Loana et John

3. TV5 diffuse un reportage spécial sur l'Afrique ce soir.

...... *La diffussment de la reportage spécial sur l'Afrique*

4. Les critiques jugent sévèrement le dernier film de Spoutzberg.

...... *La jugment severe par les critique de la dernier film de Spou*

5. Les enfants vont apprendre l'anglais dès l'âge de trois ans.

...... *Le apprentissage de l'anglais par les enfants de trois ans*

6. Un cargo européen a sauvé les passagers d'un bateau de pêche dans la tempête.

...... *Le sauere de les passagers d'un bateu de pcch dans la tempt*

7. L'équipe de France part aujourd'hui en Allemagne.

...... *Le partcc de l'equipe de France aujoursdhui en Alemagn*

LE GENRE DES NOMS

6

a) Choisissez l'article et l'adjectif qui conviennent.

1. (Le – La) .. *le* .. (premier – première) *premier* ...... atterrissage du nouvel Airbus 380 a eu lieu à 20 h 13.

2. On annonce (un – une) *une* . hausse du prix de l'essence.

3. (Le – La) .. *La* .. sortie de la fusée de l'atmosphère a été un succès.

4. On nous signale (le – la) .. *La* .. (mystérieux – mystérieuse) *mysterieuse* .. apparition d'une étoile dans le ciel.

5. On nous annonce (le – la) *La* .. défaite de l'équipe de France en finale.

6. Vous allez entendre (le – la) .. *le* .. développement des principales informations.

7. On nous annonce (le – la) . *La* .. départ du Premier ministre.

b) Réécrivez les informations. Annoncez l'événement opposé, comme dans l'exemple.

1. Le premier décollage de l'Airbus 380 a eu lieu à 20 h 13.

2. *On annonce une baisse du prit de l'essence*

3. *La sorte de la fusee d' l'atmosphere a ete un echec*

4. ....

5. ....

6. ....

7. ....

C'EST/CE SONT... QUI/QUE POUR METTRE EN RELIEF

7

Lisez le questionnaire, puis répondez.

Exemple : Ce sont les émissions de sport qui m'intéressent le plus.
C'est le journal télévisé qui m'intéresse le plus.

QUEL TÉLÉSPECTATEUR ÊTES-VOUS ?

1. Quel programme vous intéresse le plus ?
- les émissions de sport
- le journal télévisé
- les films
- les émissions culturelles
- autre

...Ce sont les émissions ~~de la~~ culturelles qui m'intéressent 6 plus

2. Quel programme évitez-vous de regarder ?
- les publicités
- les émissions de téléréalité
- la météo
- autre

...Cô sont les émission de la météo

3. Quel spectacle aimeriez-vous voir plus souvent à la télé ?
- le cirque
- le théâtre
- les concerts retransmis en direct
- autre

....

4. Quel sport préférez-vous regarder à la télé ?
- foot
- tennis
- boxe
- athlétisme
- autre

....

5. Dans un journal télévisé, le plus important pour vous, c'est :
- la qualité et la variété des images
- les commentaires du journaliste
- la sélection des sujets
- la personnalité du journaliste

....

DU CÔTÉ DE LA **COMMUNICATION**

PRÉSENTER UNE ÉMISSION, DONNER UNE APPRÉCIATION SUR UNE ÉMISSION

8

Pour chaque situation, cochez l'énoncé correct.

Vous présentez le journal sur une station de radio.

1. Vous saluez les auditeurs.
- **a.** Bonne soirée à tous.
- **b.** Voici les titres.
- ☒ **c.** Je vous salue tous.

2. Vous annoncez les principaux titres du journal.
- ☒ **a.** Au programme aujourd'hui...
- ☐ **b.** Au menu aujourd'hui...
- ☐ **c.** Au sommaire aujourd'hui...

3. Vous annoncez le développement d'une information.
- ☐ **a.** Reportage spécialement dans quelques instants.
- ☐ **b.** Reportage en direct de notre envoyé spécial dans quelques instants.
- ☐ **c.** Et tout de suite une pause spéciale publicité.

Vous êtes téléspectateur.

4. Vous donnez votre opinion sur l'émission de téléréalité *On a échangé nos mamans*.
- ☐ **a.** J'aimerais connaître l'heure de diffusion de la prochaine émission.
- ☐ **b.** C'est ce style d'émission que j'aimerais voir plus souvent sur votre antenne.
- ☐ **c.** Je souhaite participer à la prochaine émission.

EN SITUATION

S'EXPRIMER – ÉCRIT ✐

S'EXPRIMER À LA UNE

9

Choisissez deux ou trois rubriques d'un journal (économie, société, sports, faits divers...).

Imaginez pour chacune :
– un titre pour annoncer un événement positif/optimiste ;
– un titre pour annoncer un événement négatif/pessimiste.

....

....

....

....

....

....

COURRIER DES LECTEURS

10

Choisissez une émission que vous avez vue récemment à la télévision.
Sur une feuille séparée, vous écrivez au journal *Télémag* pour exprimer vos réactions et donner votre opinion sur cette émission.

- Présentez-vous.
- Annoncez le nom de l'émission.
- Exprimez vos réactions.
- Donnez votre opinion.

LES TÉLÉSPECTATEURS ONT LA PAROLE... **Télémag**

FAITS DIVERS

1

Complétez les titres de faits divers avec les mots suivants.

[handwritten annotations: disparaissement, mise en assaut, Abducting - removing, disaster, attack assault siege]

disparition – découverte – accident – agression – ~~vol~~ – ~~enlèvement~~ – ~~catastrophe~~ – attaque

1. Une .... aérienne a été évitée de justesse.
2. Ils avaient préparé l'........................... de la banque depuis un an.
3. Un suspect arrêté après le ......*vol*...... dans la bijouterie Cartier.
4. Le mystère reste entier après la ...*enlèvement*... d'un tableau de Manet au musée du Louvre.
5. Trois enfants font une étrange ...*découverte*... au bord de l'eau.
6. Une caméra avait filmé l'...*att agression*... de la vieille dame.
7. Le seul témoin *[witness]* de l'........................... du petit Grégory témoigne.
8. Un terrible ...*catastrophe*... de train s'est produit en Inde.

2

Trouvez l'auteur des actions suivantes et placez-les dans leur ordre chronologique.

[handwritten: Commit]

enregistrer une plainte – ~~être agressé(e)~~ – ~~interroger le suspect~~ – être condamné(e) – ~~aller au commissariat~~ – ~~commettre un délit~~ – être arrêté(e) – ~~rechercher le suspect~~ – ~~déposer une plainte~~ – passer en justice

Le voleur	La victime	Le policier
commettre un délit	être agressé / aller au commissariat	déposer une plainte
être arrêté	enregistrer une plainte	rechercher le suspect
être condamné	passer en justice	interroger le suspect

LES TEMPS DU PASSÉ POUR RACONTER UN FAIT DIVERS

3

Complétez avec le temps qui convient : imparfait, passé composé ou plus-que parfait.

DOUBLE UNION   *Nice, le 12 août*

Hier, samedi, deux frères jumeaux *[twin]* ...*sont épousé*... (épouser) deux sœurs jumelles. Les deux mariages ...*ont été groupcraos*... (être célébré) en même temps. Une foule importante l'........................... (attendre) les deux couples à la sortie de l'église. La ressemblance physique ...*a été*... .... (être) étonnante et, de plus, les jeunes femmes ...*portaient*... (porter) la même robe blanche et leurs époux ...*a choisi*... (choisir) des costumes gris identiques. Les quatre jeunes gens ...*s'étaient rencontré / se sont rencontre*... (se rencontrer) en Espagne pendant les vacances dernières. Les jeunes mariés .... (ne pas vouloir) dire s'ils .... (partir) à quatre pour leur voyage de noces !

■■■

LA FORME PASSIVE

4

Associez les éléments des quatre colonnes pour fabriquer des faits divers classiques et des faits divers insolites, comme dans l'exemple. (Plusieurs combinaisons sont possibles.)

unusual

Exemple : Un ministre a été agressé par une baleine ! (Fait divers insolite.)

whale

le plus gros diamant du monde	construire		une inconnue
une île	agresser		un enfant de dix ans
un ministre	dérober *steal (conceal)* par		une baleine
la tour Eiffel	découvrir		un Français
un tableau de Picasso	acheter		un milliardaire

Le plus gros diamant du mond a achete par un milliaraire

Une île

un ministre

....

....

....

5

Conjuguez les verbes à la forme passive ou active aux temps qui conviennent.

*Exemple : Trois touristes norvégiens **ont découvert**, hier, la campagne de Rodez...*

Une erreur d'orthographe

Trois touristes norvégiens (découvrir) ...., hier, la campagne de Rodez (France), au lieu des plages

de Rhodes (Grèce). Au moment de la réservation, qui (faire) .... sur Internet, les trois touristes

(confondre) .... les deux destinations. C'est seulement à l'atterrissage qu'ils (comprendre)

.... qu'il y (avoir) .... un problème ! Au comptoir de la compagnie aérienne,

ils (accueillir) .... par un employé qui leur (expliquer) .... l'origine de l'erreur.

Malheureusement pour eux, la liaison Rodez-Rhodes (ne pas proposer) .... par cette compagnie.

La nuit dernière, les trois touristes (héberger) .... par des habitants de Rodez, qui (apprendre)

.... leur mésaventure !

L'ACCORD DU PARTICIPE PASSÉ

6

Accordez le participe passé quand c'est nécessaire.

COD

1. *Hold-up de Lyon :* les deux supporters que la police avait arrêté...... la semaine dernière ont réussi...... à s'évader.

2. *Agression dans le métro :* le couple agressé a retiré...... la plainte qu'il avait déposée... hier.   COD

3. *L'affaire des bijoux de Londres :* le suspect avoue : « Oui, c'est moi qui les ai volés... et je les ai revendus... ensuite à un milliardaire italien. »

4. *Retrouvailles :* il a retrouvé...... sa sœur grâce à l'émission *Perdus de vue* : il ne l'avait pas vu...... depuis soixante ans.

5. *L'honnêteté paie !* Une petite fille de dix ans a rapporté...... au commissariat une enveloppe contenant 20 000 € qu'elle avait trouvé...... dans la rue. Les policiers l'ont félicité...... et le propriétaire l'a récompensé...... en lui donnant 100 €.

6. *Enlèvement du professeur Renoir :* l'unique témoin déclare : « Ils étaient quatre, je les ai vu...... comme je vous vois ! »

RACONTER UN FAIT DIVERS

7

Reconstituez le texte de deux articles de faits divers avec les éléments suivants. (Faites les transformations nécessaires : ponctuation, majuscules...) *Capitals.*

a. Une petite fille était tombée accidentellement à l'eau
b. Quand il a entendu des cris :
c. Hier soir dans un cirque, le spectacle se déroulait tranquillement
d. Et l'animal a été récupéré sans incident.
e. La petite fille et le chien ont terminé la soirée devant un bon feu.
f. Un vieux monsieur se promenait tranquillement avec son chien le long d'une rivière
g. Quand vers 22 h 30 une lionne a réussi à s'échapper du chapiteau
h. Immédiatement, le chien a plongé
i. Quelques instants plus tard, des policiers ont encerclé le quartier
j. Et a ramené l'enfant jusqu'à la berge
k. Le directeur a demandé aux spectateurs de ne pas sortir dans la rue

1. Chien sauveteur : ..... *f b a h j e* .....
2. Peur dans la ville : ..... *c g k i d* .....

S'EXPRIMER – ÉCRIT ✐

FAITS DIVERS *(miscellaneous.*

8

Vous êtes journaliste et vous rédigez sur une feuille séparée un article de faits divers pour le journal *Sud Express*. Vous évoquez le fait divers illustré ci-dessous.

- Donnez un titre au fait divers.
- Évoquez les éléments successifs.
- Donnez des précisions sur les circonstances (où, quand...).
- Évoquez les causes et les conséquences/suites de ce fait divers.

CINÉMA

1

staging *scripteister*

Complétez les trois messages avec les mots suivants. (Certains mots sont utilisés plusieurs fois.)

rôle(s) − synopsis − mise(s) en scène − fiche(s) technique(s) − scénariste(s) − film(s) − producteur(s) − scène(s) −
interprétation(s) − bande(s)-annonce(s) − acteur(s) − scénario

preview

1.

> Envoyer maintenant · Options ▾ · Insérer ▾ · Catégories
>
> Cher monsieur,
> Je viens de lire le ....*synopsis*.... que vous m'avez envoyé. Il y a des .....*scènes*.........
> très émouvantes. J'ai beaucoup aimé et j'accepte de produire le .....*film*.........
> Pour l' .*acteur*........ du rôle principal, je préférerais un inconnu. On en reparle ?
> Cordialement,
> Carlos Pontini, producteur

2.

> Envoyer maintenant · Options ▾ · Insérer ▾ · Catégories
>
> Cher ami,
> Je t'envoie le manuscrit du jeune *scénariste*......... dont je t'ai déjà parlé. Je serai le
> ....*producteur*.... du film et j'ai pensé à toi pour la *interprétation*. J'ai déjà l'accord
> de deux .*acteurs*........ pour les ......*Rôles*............ principaux.
> Amitiés,
> Carlos Pontini, producteur

3.

> Envoyer maintenant · Options ▾ · Insérer ▾ · Catégories
>
> Monsieur,
> Nous avons besoin du *bande annonce*.... du film *Passagers de l'impossible* pour compléter
> la .... qui figurera sur notre site Internet. Pourriez-vous aussi nous
> communiquer la .... pour que nous la diffusions sur le site ? *broadcast*
> Avec nos remerciements, *acknowledgment*
> M. Adrien Marchand, directeur de la communication, Cinécinéma

2

Associez les éléments des trois colonnes. (Plusieurs combinaisons sont parfois possibles.)

un film   joue   un prix.

un acteur   *obtenir* obtient   un succès.

un président de jury *obtain* annonce   un/des acteur(s)/actrice(s).

un réalisateur   gagne   un rôle.

                            dirige *direct*   (dans) un film.

                            récompense

                            remporte
                            bring back

LES PRONOMS PERSONNELS APRÈS *DE* ET *À*

3

Complétez les dialogues avec *à* ou *de* et le pronom qui convient.

Un producteur à son associé

1. – Marc André, tu vois qui c'est ?

– Non.

– Tu ne te souviens pas *de lui* ? C'est le jeune scénariste qui m'a envoyé son manuscrit.

Un réalisateur à ses acteurs

2. Je vous explique la scène entre Sonia et Mathieu : toi, Mathieu, tu aimes Sonia, tu as besoin *de elle*, mais Sonia se désintéresse *à lui* et tu es très malheureux.

3. Alors c'est une scène entre tes deux enfants et toi : tu vas t'adresser *à eux* gentiment, tu vas leur dire que tu t'es ennuyé *de eux* pendant ton voyage, que tu as pensé *à eux* tout le temps.

4. Ne vous occupez pas ...., concentrez-vous uniquement sur votre rôle !

5. Vous aimez la même femme, vous êtes vraiment amoureux ...., vous rêvez .... en secret.

EXPRIMER DES APPRÉCIATIONS SUR UN FILM

4

Des spectateurs s'expriment après la projection du film *Da Vinci Code*. Imaginez leurs appréciations, positives et/ou négatives, concernant les points suivants.

- le scénario
- la mise en scène
- le jeu des acteurs
- le suspense
- le rythme du film
- certaines scènes

Da Vinci Code

2005. 2 h 30. Film d'aventures américain en couleurs de Ron Howard avec Tom Hanks, Audrey Tautou, Jean Reno. Le best-seller de Dan Brown au cinéma.

Le conservateur du Louvre est retrouvé assassiné aux pieds de La Joconde... Avant sa mort, la victime, membre d'une société secrète, a dissimulé des indices que sa fille et un spécialiste américain des symboles vont essayer de déchiffrer. Entraînés dans une folle aventure, ils découvrent un secret colossal...

....
....
....
....
....
....
....

COMPRENDRE – ÉCRIT ⊚

EN DIRECT DE CANNES

5

Vrai ou faux ? Lisez l'article et répondez.

Et voici la polémique que la Croisette attendait...

Marie-Antoinette, troisième long-métrage de Sofia Coppola, risque de faire beaucoup parler de lui. Pourquoi ? Parce que cette œuvre – tournée en grand secret à Versailles – longue de 2 h 03, va décoiffer les amateurs d'histoire... « Il s'agit moins d'un film historique, déclare la réalisatrice, que de l'histoire vraie d'une jeune fille très humaine dont les émotions sont compréhensibles par des gens d'aujourd'hui. » Il reste que les passionnés d'histoire reprocheront à Sofia Coppola de ne pas avoir évoqué la fin de règne tragique de Marie-Antoinette et d'avoir choisi de filmer seulement la reine gourmande, fêtarde et passionnée de mode. C'est donc une « reine papillon » qui vient aujourd'hui défendre à Cannes, sur une bande musicale formidable, les chances de l'Amérique. Les partisans de ce film voient en lui une Palme d'or possible, une façon moderne et dynamique d'entrer, sinon dans l'histoire de France, du moins dans celle du cinéma.

D'après Le Parisien, 24 mai 2006.

Le film *Marie-Antoinette*...

1. fait partie de la sélection officielle du festival de Cannes 2006. ▣ vrai ▣ faux
2. est un film français. ▣ vrai ▣ faux
3. a pour décor le château de Versailles. ▣ vrai ▣ faux
4. dure plus de deux heures. ▣ vrai ▣ faux
5. est une fidèle reconstitution historique. ▣ vrai ▣ faux

S'EXPRIMER – ÉCRIT ⊘

DERNIÈRES NOUVELLES DE LA CROISETTE

6

Vous êtes journaliste et vous rédigez sur une feuille séparée un court article de presse après la clôture du Festival de Cannes 2006. (Aidez-vous des informations de la fiche suivante.)

59ᵉ Festival de Cannes du 17 au 28 mai 2006

Maître de cérémonie : Vincent Cassel (acteur), France.
Président du Jury : Wong Kar Wai (réalisateur), Chine.

20 films en compétition
• Palme d'or : Ken Loach, Royaume-Uni, pour *Le vent se lève*.
• Grand Prix : *Flandres* de Bruno Dumont, France.
• Prix d'interprétation féminine : les six actrices de *Volver* de Pedro Almodóvar, Espagne (Penelope Cruz, Carmen Maura, Lola Dueñas, Blanca Portillo, Yohana Cobo, Chus Lampreave).
• Prix d'interprétation masculine : les cinq acteurs d'*Indigènes* de Rachid Bouchareb, Algérie (Jamel Debbouze, Samy Nacéri, Roschdy Zem, Sami Bouajila, Bernard Blancan).

MUSIQUE !

1

Complétez la grille à l'aide des définitions suivantes.

Horizontalement

1. Ensemble de gens qui assistent à un spectacle de musique.
2. On peut écouter les nouvelles chansons d'un artiste sur son ... .
3. Personne qui crée la musique.
4. Son chef le dirige.
5. On en utilise un pour jouer de la musique (*mot écrit à l'envers*).
6. Paroles avec musique.

Verticalement

a. Plusieurs personnes qui font de la musique ensemble.
b. Elle chante à l'opéra.
c. Spectacle de musique.
d. Qualifie la musique de grands compositeurs comme Mozart.
e. Elle peut être blanche ou noire.
f. Le même spectacle dans plusieurs villes.

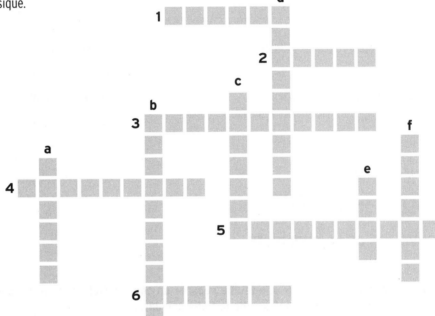

ESPÉRER QUE + INDICATIF, *SOUHAITER QUE* + SUBJONCTIF

2

Complétez les méls avec *espérer* ou *souhaiter* (faites les modifications nécessaires), puis identifiez le type de correspondance : professionnelle ou personnelle.

1.

> ⤳ Envoyer maintenant ⮂ 🗐 ✎ 🗑 📎 ✒ ▾ 🗔 Options ▾ ⇄ 🎞 Insérer ▾ ☰ Catégories

> Mademoiselle,
> Je .... que vous m'accompagniez à Marseille pour la réunion du 16 mai.
> Je .... que vous pourrez vous libérer pour cette date.
> Monsieur LAMARK, directeur

correspondance ◼ professionnelle ◼ personnelle

2.

⤵ Envoyer maintenant 🗗 📑 🔗 ▾ 🗑 📎 ✒ ▾ 🖹 Options ▾ 🗺 🎞 Insérer ▾ 🗒 Catégories

Ma chérie,
Je .... que tout va bien à la maison et que les enfants sont sages. Je ne rentrerai
que demain soir parce que mon frère Marc .... que je fasse un petit détour pour
venir le voir.
Bises.
Laurent

correspondance   ▪ professionnelle   ▪ personnelle

3.

⤵ Envoyer maintenant 🗗 📑 🔗 ▾ 🗑 📎 ✒ ▾ 🖹 Options ▾ 🗺 🎞 Insérer ▾ 🗒 Catégories

Un cocktail de fin d'année est organisé le mardi 22 décembre à partir de 18 heures en salle de réunion.
Nous .... que vous y viendrez nombreux !
La direction

correspondance   ▪ professionnelle   ▪ personnelle

4.

⤵ Envoyer maintenant 🗗 📑 🔗 ▾ 🗑 📎 ✒ ▾ 🖹 Options ▾ 🗺 🎞 Insérer ▾ 🗒 Catégories

Comment ça ? Tu .... que nous vivions de nouveau ensemble ! Eh bien, moi,
je .... que nos chemins ne se croiseront plus jamais ! Salut.
Ariane

correspondance   ▪ professionnelle   ▪ personnelle

3

Transformez *on espère* en *on souhaite que*.

Julien,
On espère que tu feras un bon voyage
Que tu profiteras bien de ton séjour
Que tu auras beau temps tous les jours

Que tu t'amuseras (beaucoup) . . .
Que tu dormiras (un peu)
Et que tu nous reviendras en pleine forme !
Bonnes vacances !
Sonia, Corinne, Paul, Lucas

....
....
....
....
....
....

LE CONDITIONNEL POUR EXPRIMER UN SOUHAIT

4

a) Mettez les verbes au conditionnel pour exprimer les souhaits de Thomas (15 ans) et de Sonia (16 ans).

À chacun ses souhaits !

1.

« Mes parents .... (vouloir) que je sois comme eux mais, moi,

je .... (aimer) qu'ils me comprennent, je ....

(vouloir) qu'ils m'acceptent comme je suis. Et puis ma petite amie ....

(aimer) aussi pouvoir venir à la maison, mais ça, c'est impossible à cause d'eux ! »

2.  « Je sais bien, ma mère .... (adorer) avoir une fille qui pense

seulement à ses études mais, moi, je .... (vouloir) sortir le soir,

je .... (aimer) qu'elle me donne plus d'argent de poche.

Mes deux meilleures copines .... (aimer) bien pouvoir dormir

à la maison quelquefois, mais ma mère ne veut pas ! »

b) Imaginez les souhaits des parents de Thomas puis ceux de la mère de Sonia à propos de leur enfant.

....

....

....

....

....

....

....

....

LE CONDITIONNEL POUR FAIRE UNE SUGGESTION

5

Mettez les verbes au conditionnel.

1. Il .... (falloir) encourager la natalité.

2. On .... (pouvoir) aider les familles pour les frais de garde d'enfants.

3. Les couples sans enfant .... (devoir) payer un impôt supplémentaire.

4. Les autorités .... (devoir) imposer les transports en commun.

5. Il .... (falloir) développer le transport ferroviaire.

6. Nous .... (devoir) utiliser davantage l'énergie solaire.

DU CÔTÉ DE LA **COMMUNICATION**

EXPRIMER DES SOUHAITS, DES ESPOIRS, FAIRE DES SUGGESTIONS

6

Trouvez le contexte de production de chaque réplique. (Qui parle ? À qui ? Où ? Quand ? Pourquoi ? Dans quel but ?)

1. « Vous devriez être plus souriant et puis surtout mettre vos compétences en avant. »

....

....

2. « Nous, on est là depuis 6 heures du matin, on attend la montée des marches. On aimerait tellement voir les stars de près. On espère même qu'on pourra avoir quelques autographes ! »

....

....

3. « On devrait plutôt choisir une nouvelle moins triste pour faire la une d'aujourd'hui. Qu'est-ce que vous en pensez ? »

....

....

4. « On pourrait se marier, si tu veux... »

....

....

5. « Ça suffit, les deux au fond de la classe ! J'aimerais avoir le silence, s'il vous plaît. »

....

....

7

Imaginez les souhaits ou espoirs des personnages suivants.

1. Vanessa, vingt ans, qui sort d'un entretien pour un stage.

....

2. Nicolas, vingt-quatre ans, supporter de football, le jour où l'équipe nationale joue en finale de la Coupe du monde.

....

3. Guillaume Duprez, cinquante-quatre ans, candidat aux élections pour la présidence de la République.

....

4. Armelle Schmidt, quarante-huit ans, nouvelle présidente de la société Total, le jour de son arrivée dans l'entreprise.

....

5. Anaëlle, quatre ans, quelques jours avant Noël.

....

EN SITUATION

S'EXPRIMER – ÉCRIT ✐

L'ESPOIR FAIT VIVRE

8

L'équipe de *Mieux vivre sa vie* recherche des témoignages de personnes qui ont des problèmes et des difficultés pour venir en parler à l'antenne.
Vous êtres intéressé(e) par cette proposition. Sur une feuille séparée, écrivez à l'émission *Mieux vivre sa vie*.

- Présentez-vous (nom, lieu de résidence).
- Faites part de votre souhait de participer à l'émission.
- Précisez quelles difficultés vous traversez actuellement (problèmes d'argent, de couple, de voisinage).
- Dites quels sont vos souhaits concernant votre avenir.
- Terminez par une formule de politesse.

L'ESPOIR FAIT VIVRE (SUITE)

9

Vous regardez l'émission *Mieux vivre sa vie*.
Envoyez immédiatement par mél des suggestions pour la personne qui témoigne de ses difficultés. Rédigez sur une feuille séparée.

DU CÔTÉ DU LEXIQUE

ACTION HUMANITAIRE

1

Complétez le message avec les mots suivants. (Attention ! Un mot est utilisé deux fois.)

ONG – bénévole(s) – association(s) – don(s) – action humanitaire – bénévolat – aide d'urgence

> Pour la deuxième année consécutive, l'.......................... et le ....
> .... sont à l'honneur dans ce salon. De nombreuses .... y sont représentées, on compte parmi elles les principales .... comme Médecins sans frontières, l'UNICEF, la Croix-Rouge.

> Vous aussi, vous pouvez participer activement à l'........................... dans le monde en faisant un .... ou en devenant .... dans l'une de ces ....

CENTRES D'INTÉRÊT

2

Complétez les deux messages avec les expressions suivantes. (Plusieurs réponses sont possibles.)

je suis passionné par – je m'intéresse à – je suis intéressé par – je me passionne pour

1. Je suis un jeune architecte et .... l'action humanitaire en général. .... l'habitat à caractère social. Je serais donc heureux de participer à votre projet de construction d'immeubles en Afrique.

2. .... la lutte contre l'autisme[1] et .... la musique. Je souhaiterais donc l'enseigner aux enfants autistes pour les aider à s'ouvrir au monde.

1. *Autisme :* maladie mentale qui isole le sujet du monde extérieur.

DU CÔTÉ DE LA GRAMMAIRE

POUR/AFIN DE + INFINITIF, POUR QUE/AFIN QUE + SUBJONCTIF

3

Complétez avec une des expressions de but suivantes : *pour/afin de* + infinitif, *pour/afin que* + subjonctif.

La parole est aux représentants des ONG

1. Care : « Nous menons des actions sur le terrain .... la pauvreté disparaisse peu à peu. »

2. Artisans du monde : « Nous avons créé cette ONG .... les artisans des pays pauvres puissent vivre de leur travail. »

3. Scolaction : « Moi, je représente une association qui a été créée .... aider les enfants en difficulté scolaire. »

4. Humacoop : « Nous offrons les structures nécessaires .... former les candidats au départ en mission. »

5. SOS Louiza : « Nous existons .... les femmes du monde entier soient informées sur leurs droits légaux. »

6. Goutte d'eau : « Notre association construit des puits .... les populations victimes de la sécheresse aient accès à l'eau potable. »

4

Expliquez le but des associations suivantes.

SPA (Société protectrice des animaux) : ....

....

Dentistes sans frontières : ....

....

Informatic bénévolat : ....

....

Clowns sans frontières : ....

....

LE CONDITIONNEL POUR PRÉSENTER UN PROJET

5

Mettez les verbes au conditionnel.

Projet : Vétérinaires sans frontières

L'idée .... (être) de faire appel à des vétérinaires bénévoles qui ....
(s'occuper) des animaux dont les propriétaires ne peuvent pas payer les soins. On les .... (soigner)
gratuitement. Mais on .... (développer) aussi notre action dans différents pays : on
.... (envoyer) des équipes sur place, qui .... (sensibiliser) les populations
à la nécessité de bien s'occuper de leurs animaux domestiques et il y .... (avoir) des campagnes de
vaccination. De plus, des équipes spécialisées .... (agir) en faveur de la protection des animaux sauvages.

SI + IMPARFAIT, CONDITIONNEL PRÉSENT POUR IMAGINER UNE SITUATION HYPOTHÉTIQUE/IRRÉELLE

6

Complétez avec le conditionnel.

Imaginez...

Si la Terre était un village de 100 habitants, 60 personnes .... (être) asiatiques, et il y
.... (avoir) 13 Africains, 12 Européens, 9 Sud-Américains, 5 Nord-Américains et 1 Océanien.

21 personnes .... (vivre) avec moins de 15 € par jour,

20 personnes .... (posséder) 86 % des richesses mondiales,

13 personnes .... (être) sous-alimentées,

20 personnes .... (consommer) la moitié des ressources en viande et poisson,

18 personnes .... (ne pas avoir) l'eau courante,

32 personnes .... (ne pas pouvoir) bénéficier de médicaments de première nécessité,

15 personnes .... (être) analphabètes,

20 personnes .... (utiliser) 84 % de la production de papier,

9 personnes .... (avoir) une voiture.

7

Imaginez la condition. Utilisez _si_ + imparfait.

1. Tous les peuples communiqueraient mieux entre eux si ....

2. Il y aurait moins d'habitants sur Terre si ....

3. Tous les enfants iraient à l'école si ....

4. Les inégalités n'existeraient pas si ....

DU CÔTÉ DE LA **COMMUNICATION**

PRÉSENTER UNE ONG

8

Vous êtes un des responsables de l'association Cœurs d'enfants. Vous répondez aux questions ci-dessous. (Aidez-vous des informations de l'annonce suivante.)

Cœurs ♥ _d'enfants_   **NOUS RECHERCHONS DES COLLABORATEURS.**

VOTRE PROFIL : vous êtes une famille d'accueil au grand cœur.

VOTRE MISSION : accueillir chez vous pendant trois mois un petit opéré du cœur en provenance d'un pays pauvre.

VOTRE PROFIL : vous avez un diplôme d'infirmière, vous êtes bénévole.

VOTRE MISSION : aller chercher dans leur pays les petits malades du cœur et les accompagner jusqu'en France pour qu'ils y soient soignés.

VOTRE PROFIL : vous êtes retraité et disposez de temps libre.

VOTRE MISSION : nous aider à mettre en place un projet de construction d'un hôpital spécialisé en cardiologie (recherche de financement, choix de la localisation, appel à médecins bénévoles…).

CONTACTEZ-NOUS AU 08 42 44 30 20

LA JOURNALISTE : Quel est l'objectif de votre ONG ?

LE RESPONSABLE : ....

....

....

LA JOURNALISTE : Vous avez besoin de bénévoles, actuellement ? Et si oui, pour quoi faire ?

LE RESPONSABLE : ....

....

....

LA JOURNALISTE : Votre association a-t-elle des projets de développement ?

LE RESPONSABLE : ....

....

....

COMPRENDRE – ÉCRIT ◉

PARRAINER UN ENFANT

9

Lisez la page de site Internet et répondez aux questions.

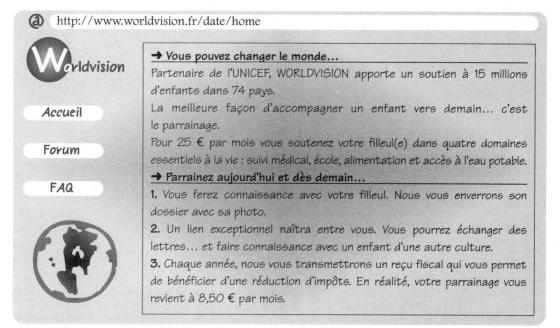

http://www.worldvision.fr/date/home

Worldvision

Accueil

Forum

FAQ

➜ **Vous pouvez changer le monde...**

Partenaire de l'UNICEF, WORLDVISION apporte un soutien à 15 millions d'enfants dans 74 pays.

La meilleure façon d'accompagner un enfant vers demain... c'est le parrainage.

Pour 25 € par mois vous soutenez votre filleul(e) dans quatre domaines essentiels à la vie : suivi médical, école, alimentation et accès à l'eau potable.

➜ **Parrainez aujourd'hui et dès demain...**

1. Vous ferez connaissance avec votre filleul. Nous vous enverrons son dossier avec sa photo.

2. Un lien exceptionnel naîtra entre vous. Vous pourrez échanger des lettres... et faire connaissance avec un enfant d'une autre culture.

3. Chaque année, nous vous transmettrons un reçu fiscal qui vous permet de bénéficier d'une réduction d'impôts. En réalité, votre parrainage vous revient à 8,50 € par mois.

1. WORLDVISION vous propose
- ▢ **a.** d'adopter un enfant.
- ▢ **b.** d'aider financièrement un enfant dans son développement.
- ▢ **c.** d'accueillir un enfant chez vous.

2. WORLDVISION vous demande de donner
- ▢ **a.** 8,50 € par mois.
- ▢ **b.** 74 € par mois.
- ▢ **c.** 25 € par mois.

3. Votre soutien
- ▢ **a.** vous coûtera 25 € par mois.
- ▢ **b.** vous coûtera 8,50 € par mois.
- ▢ **c.** ne vous coûtera rien.

S'EXPRIMER – ÉCRIT ✐

J'AI LA VOCATION !

10

Vous êtes intéressé(e) par une des missions proposées par l'association Cœurs d'enfants (activité 8, p. 56). Sur une feuille séparée, vous écrivez à l'association pour proposer vos services.

- Présentez-vous (nom, âge, formation/profession).
- Expliquez votre motivation pour être bénévole.
- Commentez vos expériences antérieures en tant que bénévole.

> Monsieur,
> Je réponds à votre annonce parue dans « Challenge »...

EN DIRECT DE CANNES

11

Répondez sur une feuille séparée à la question ci-contre, posée dans un forum de discussion.

Forum

Si vous travailliez dans le cinéma, quelle profession exerceriez-vous et pourquoi ?

DU CÔTÉ DU LEXIQUE

RÉCIT DE VOYAGE

1

Remettez les éléments entre parenthèses à la bonne place pour reconstituer le résumé du livre.

Tandem africain

Prendre (leur périple) .... pour accomplir (l'aventure) .... : découvrir

l'Afrique à vélo. Jérémie et Sophie n'ont pas hésité à se lancer dans (leur rêve) .... Ils nous

racontent (une année sabbatique) .... de Tunis à Johannesburg.

2

Barrez l'intrus.

1. J'ai accompli (un beau rêve – un voyage fabuleux – un livre d'aventures – un travail utile – un périple extraordinaire – un tour du monde).

2. J'ai (fait – préparé – pris – imaginé – accompli – vécu – raconté – réalisé) un fabuleux voyage.

DU CÔTÉ DE LA GRAMMAIRE

EXPRIMER LA CAUSE

3

Complétez les témoignages d'aventuriers. Utilisez *comme* ou *car*.

1. J'ai pris une année sabbatique .... je voulais réaliser mon rêve de voyage, mais ....
   je n'avais pas assez d'argent, j'ai cherché des sponsors pour financer l'opération.

2. .... j'ai toujours été attiré par le Grand Nord, c'est tout naturellement que j'ai choisi cette destination
   et je ne le regrette pas .... j'ai vécu une aventure extraordinaire !

3. On va peut-être faire un film de mon aventure .... un producteur m'a contacté et, ...
   l'idée me plaît bien, je vais certainement accepter.

4

a) Imaginez la cause. Utilisez *comme*.

Exemple : Comme je voudrais que tout soit parfaitement organisé, je prépare notre périple depuis plus d'un an.

Préparatifs de voyage

1. ...., je vais demander à mes parents de m'aider financièrement.

2. ...., nous retournerons là-bas avec plaisir.

3. ...., nous attendrons le mois d'avril pour partir.

4. ...., ils se déplaceront en train et en voiture.

5. ...., on dormira chez l'habitant.

6. ...., nous ne pouvons pas partir très loin.

7. ...., je pourrai filmer mon voyage.

b) Reformulez. Utilisez *car*, comme dans l'exemple.

Exemple : Comme je voudrais que tout soit parfaitement organisé, je prépare notre périple depuis plus d'un an.
→ *Je prépare notre périple depuis plus d'un an* **car** *je voudrais que tout soit parfaitement organisé.*

1. ....
2. ....
3. ....
4. ....
5. ....
6. ....
7. ....

EXPRIMER LA CONSÉQUENCE

5

Complétez avec *donc, alors* ou *c'est pourquoi*.

L'aventure, c'est l'aventure !

1. Il neigeait depuis une semaine, ... on a dû rester dans le village en attendant le retour du beau temps.

2. Cet Indien m'a sauvé la vie, ... je ne l'oublierai jamais.

3. J'ai vu un tigre qui s'avançait vers moi, ... j'ai pris mon fusil.

4. En chemin, je suis tombé gravement malade et j'ai été soigné par le sorcier du village : .... mon voyage a duré plus longtemps que prévu.

5. Et, le troisième jour, on nous a volé la voiture, ... notre aventure commençait très mal.

6. Puis, au bout du chemin, nous avons découvert l'Himalaya, ... à cet instant j'ai pleuré de joie devant la beauté du paysage.

EXPRIMER LA CAUSE ET LA CONSÉQUENCE

6

Choisissez le marqueur qui convient.

1. L'auteur est un véritable héros (c'est pourquoi – car) .... il a fait preuve d'un courage extraordinaire en réalisant seul son périple à travers l'Amazonie.

2. L'auteur a deux raisons d'être heureux. (Donc – En effet) ...., il a accompli son rêve d'enfant en voyageant et il a découvert l'écriture en racontant ses aventures.

3. L'auteur parle de lui avec sincérité, (parce que – c'est pourquoi) .... son récit nous touche.

4. L'auteur n'est pas seulement un aventurier ; (parce que – en effet,) .... c'est aussi un écrivain.

5. L'auteur n'a pas uniquement raconté son voyage mais il en a fait un film, (car – donc) .... on pourra aussi découvrir ses aventures sur écran.

EXPRIMER SON ACCORD/DÉSACCORD, SE JUSTIFIER

7

Réagissez aux affirmations suivantes et justifiez votre position.

   1. Le français est une langue difficile.

   ....

   2. La télévision est dangereuse pour les enfants.

   ....

   3. Les femmes sont plus sensibles que les hommes.

   ....

   4. On peut facilement vivre sans livre.

   ....

   5. Les médias sont objectifs.

   ....

   6. L'amitié est préférable à l'amour.

   ....

   7. Le cinéma est un divertissement économique.

   ....

   8. Les parents sont trop sévères avec leurs enfants.

   ....

JUSTIFIER SON CHOIX

8

Reconstituez la chronologie d'une conversation entre la journaliste et le critique de cinéma.

...... **a.** LE CRITIQUE : Oh ! Je ne suis absolument pas d'accord, c'est tout le contraire. En effet, je trouve que tout est juste : le jeu des acteurs, la beauté des images... tout ! C'est pourquoi je recommande d'aller le voir.

...... **b.** LA JOURNALISTE : Pour quelles raisons l'avez-vous choisi ?

...... **c.** LE CRITIQUE : Bien sûr, c'est un excellent film d'aventures qu'on peut voir en famille, petits et grands.

...... **d.** LA JOURNALISTE : Mais d'autres critiques disent que ce film manque un peu d'émotion...

...... **e.** LE CRITIQUE : *Le Tour du monde en famille,* qui est une adaptation du livre de Jérôme Bourgine.

...... **f.** LA JOURNALISTE : C'est un film destiné à tous les publics ?

...... **g.** LE CRITIQUE : Surtout parce que c'est une adaptation très fidèle du livre que j'avais beaucoup aimé.

...... **h.** LA JOURNALISTE : Parmi les films qui sont sortis cette semaine, lequel avez-vous sélectionné ?

EN SITUATION

COMPRENDRE – ÉCRIT ⊚

FICHE DE LECTURE

9

Vous êtes chargé(e) de sélectionner des livres pour la bibliothèque de votre entreprise/école. Vous rédigez une fiche de lecture du livre de Nicolas Vanier, *L'Enfant des neiges*. (Aidez-vous des notes ci-dessous.)

- Précisez le titre, le nom de l'auteur et le genre littéraire du livre.
- Justifiez pourquoi vous avez sélectionné ce livre.
- Faites une courte synthèse finale.

> « L'ENFANT DES NEIGES » DE NICOLAS VANIER
>
> — Descriptions de paysages : super !
> — Suspense : bof...
> — Talent d'écriture : OUI ! ➜ futur best-seller ?
> — Expression des sentiments : pas mal !

DU CÔTÉ DU LEXIQUE

CHANGEMENT DE V(O)IE

1

Choisissez le mot correct.

Témoignage

Il est bien loin le (malheur – malaise) .... que je ressentais dans ma vie quand j'étais

président-directeur général d'une grosse boîte ! À présent, grâce à l'aide de Charles Belin, spécialiste en (développement –

changement) .... personnel, j'ai osé quitter mon poste de responsable et je suis parti

à la (réussite – découverte) .... de moi-même. Ça n'a vraiment pas été facile au début mais

ma (transformation – reconversion) .... a été une réussite ! Je (me suis imaginé – suis devenu)

.... artisan bijoutier et, à présent, ma (possibilité – créativité) .... peut

s'exprimer au quotidien.

À tous ceux qui comme moi veulent (réussir – gagner) .... vraiment leur vie, je dis : l'important,

c'est de laisser s'exprimer ses (changements – talents) .... profonds !

BIOGRAPHIE

2

Trouvez les six mots cachés liés à la biographie.

A	C	P	U	C	V	I	S	P	X	E
Y	V	H	S	H	G	X	U	W	O	L
U	D	B	T	R	F	U	C	E	D	B
K	L	B	E	O	U	I	V	R	A	H
A	E	V	E	N	E	M	E	N	T	E
T	U	H	P	O	D	E	R	Y	E	N
E	L	G	Y	L	A	U	R	B	N	K
P	A	R	C	O	U	R	S	B	O	V
S	O	F	T	G	H	L	S	P	J	I
I	S	P	H	I	S	T	O	I	R	E
T	Y	S	O	E	D	H	E	B	F	J

LES MARQUEURS CHRONOLOGIQUES

3

Complétez le témoignage avec les marqueurs suivants.

après quelques années – finalement – à l'origine – c'est à ce moment-là que – progressivement

La vraie vie

............................., je vivais de l'argent que rapportaient les usines de mon père, je voyageais dans le monde entier

avec mes amis de la jet-set mais .... j'ai senti que j'étais fatiguée de cette vie artificielle.

.... j'ai fait la connaissance d'un responsable de SOS réfugiés qui m'a proposé de venir voir un camp.

J'ai effectué plusieurs visites et, ..., j'ai compris que, pour donner un véritable sens à ma vie,

je devais rester près des réfugiés en Asie. ...., ça fait cinq ans que je consacre ma fortune

et mon énergie à aider les plus démunis.

4

Remplacez les éléments entre parenthèses par les expressions suivantes.

la même année – l'année suivante – ... an(s) plus tard – à l'âge de ... ans

Vie de stars

1. Julio Moreno a tourné pour la première fois sous la direction du réalisateur anglais Tom James en 2002 et, (en 2004)
   ...., ils se sont retrouvés pour le tournage de *Passion d'été*.

2. Antonia Monti et Benoît Magisol se sont mariés en janvier 1999, ont divorcé (en novembre 1999) ....
   et se sont remariés (en 2006) .... !

3. Léonard de Campre a débuté au cinéma (l'année de ses vingt ans) .... et il a remporté l'Oscar
   du meilleur acteur, (cette année-là aussi) ....

4. Marie Oretz a tourné dans un film (quand elle avait trois ans) .... !

5. Sergio Monza était encore inconnu en France en 2004 mais, (en 2006) ...., il est devenu l'acteur
   préféré des Français.

6. Claudia Joffroy a débuté comme mannequin en 1995 et, (en 1996) ...., elle était le *top-model*
   le mieux payé de la planète.

DU CÔTÉ DE LA **GRAMMAIRE**

LES PRONOMS *Y* ET *EN*

5

Complétez avec le pronom qui convient : *y* ou *en*. (Faites les modifications nécessaires.)

1. Changer de profession ? J'......... pense depuis longtemps mais je n'......... ai jamais parlé à la maison.

2. Est-ce qu'on aimerait habiter à la campagne ? Bien sûr ! On .... a très envie mais on n'......... croit pas trop.

3. Vous voulez donner votre démission ? Un conseil : réfléchissez-......... d'abord et on .... reparlera plus tard.

4. – Ah ! Tu crois qu'ils ont vendu leur vieille voiture ?

   – Mais pas du tout : ils s'......... servent tous les jours et ils s'......... occupent comme si c'était une voiture de luxe !

5. Comment ? Tu ne sais pas que Lucas a abandonné son projet de voyage en Inde : il ne s'......... intéresse plus du tout
   et il n'......... parle plus autour de lui.

6. Je sais que tu .... rêves mais, désolé, je ne peux pas te prêter ma voiture parce que j'......... ai besoin pour mon travail.

6

Trouvez ce que *y* et *en* peuvent représenter, puis reformulez, comme dans l'exemple.

Exemple : Il en parle beaucoup mais il n'aura jamais le courage de partir.
➜ *faire le tour du monde. Il parle beaucoup de faire le tour du monde.*

1. Je m'en souviens parce que j'ai pris des notes à chaque ville.

   ....

2. Il en a rêvé pendant des années, et il vient de trouver un petit local qu'il va pouvoir aménager.

....

3. J'en ai besoin pour me sentir bien, alors je cours, je vais nager...

....

4. Elle y repense quand elle feuillette son album de photos.

....

5. Les scientifiques n'y croient pas en général.

....

6. Je m'en sers pendant mes séances de relaxation.

....

7. Il s'en occupe tous les week-ends, il adore voir les gens admirer ses fleurs.

....

8. Elle y a réfléchi longtemps avant d'envoyer sa lettre au directeur.

....

AVANT DE + INFINITIF, *APRÈS* + INFINITIF PASSÉ

7

Complétez les titres de presse.

Exemples : Le voleur a avoué après...
→ *Le voleur a avoué après* **avoir été arrêté.**
Les footballeurs ont salué la foule avant de...
→ *Les footballeurs ont salué la foule avant de* **retourner dans les vestiaires.**

Politique

1. Le président est rentré ce matin en France après ....

Social

2. Les ouvriers ont voté la reprise du travail après ....

Vie quotidienne

3. Vérifiez l'état de vos pneus avant de ....

4. Comparez les prix avant de ....

Sport

5. L'équipe de France a pris des vacances bien méritées après ....

6. Les joueurs ont écouté l'hymne national avant de ....

7. Les cyclistes arriveront à Nice vers 16 heures, après ....

Faits divers

8. Un homme a été admis à l'hôpital, après ....

9. La voiture a réussi à éviter deux piétons avant de ....

Spectacles

10. L'actrice a donné une conférence de presse après ....

11. L'acteur Charles Reps a exercé différents métiers avant de ....

ÉVOQUER UN PARCOURS

8

Un journaliste interviewe Jean Dujardin. Imaginez les réponses de celui-ci. Aidez-vous de la notice biographique.

```
                                              Jean Dujardin

   Naissance : le 19 juin 1972
   Diplôme : bac d'arts plastiques
   Première profession : serrurier
   1999-2003   Tourne dans la minisérie télé Un gars, une fille, avec Alexandra Lamy qui devient
               sa compagne.
   2002        Premiers rôles au cinéma : Bienvenue chez…, Toutes les filles sont folles.
   Fin 2003    Se consacre exclusivement au cinéma, tourne dans Le Convoyeur, dans Mariages.
   2005        Énorme succès pour Brice de Nice, film dont il est scénariste et interprète.
   2006        OSS 117. Accueil très positif de la part de la critique et du public.
```

LE JOURNALISTE : Jean Dujardin, vous avez vu le jour dans les années 1970, n'est-ce pas ?

JEAN DUJARDIN : ....

LE JOURNALISTE : Vous avez travaillé à la télévision tout de suite après vos études secondaires ?

JEAN DUJARDIN : ....

LE JOURNALISTE : À quel moment avez-vous tourné *Mariages* ? Vous tourniez encore dans la série *Un gars, une fille* ?

JEAN DUJARDIN : ....

LE JOURNALISTE : Dans quelles circonstances avez-vous rencontré Alexandra Lamy ?

JEAN DUJARDIN : ....

9

Complétez le dialogue ci-dessous. Aidez-vous des informations biographiques suivantes.

```
                                              Zinédine Zidane

   En club
   1996-2001   Juventus de Turin
   2001-2006   Real de Madrid

   En sélection nationale
   1998   Vainqueur de la Coupe du monde
   2000   Vainqueur du championnat d'Europe des nations
   2006   Finaliste de la Coupe du monde
   2002   Décision de prendre sa retraite internationale après la défaite de l'équipe de France en Coupe du monde
   2005   Retour en équipe de France en vue du Mondial
   2006   Retraite définitive après le match France-Italie en finale du Mondial
```

– Dis, papa, quand Zidane a gagné la Coupe du monde en 1998, il jouait déjà à la Juventus de Turin ?

– ....

– Et il a pris sa retraite quand exactement ?

– ....

....

COMPRENDRE – ÉCRIT 👁

RECONVERSION

10

Vrai ou faux ? Lisez l'article et répondez.

SECOND SOUFFLE

Ils étaient dentiste, pharmacien, esthéticienne ou cadre bancaire. Et puis, un jour, ils ont décidé d'abandonner leur carrière pour retourner à l'école. Aujourd'hui, plus d'un instituteur sur dix a commencé sa carrière dans le privé. Enquête sur un phénomène en progression.

Lundi dernier, Valérie, 40 ans, a fait sa première rentrée des classes comme institutrice stagiaire, dans la région de Montpellier. Nouvelle vie, nouveau métier. Il y a quatre ans encore, elle était esthéticienne mais son salon « *marchait mal* ». Elle a alors décidé de préparer le concours de professeur des écoles, qu'elle a réussi en juin dernier. Valérie n'est pas un cas isolé. Depuis quelques années, de plus en plus de salariés du secteur privé viennent chercher une deuxième carrière dans l'enseignement. Qu'est-ce qui pousse ces candidats vers ce métier d'instituteur, réputé fatigant et mal payé ? Pour beaucoup, c'est le désir d'en finir avec le stress, l'obligation de résultats financiers, les horaires interminables… tous veulent « *reprendre leur vie en main* », ils désirent « *transmettre des valeurs* », « *accompagner les enfants* », « *les ouvrir au monde* » et veulent, par-dessus tout, « *se sentir utiles* ». Et la sécurité de l'emploi ? Personne ne l'évoque parce que ce n'est pas un argument très noble mais, en ces temps de chômage, elle constitue un avantage évident.

D'après *Le Nouvel Observateur*, 10 nov. 2005.
Caroline Brizart.

---

1. L'article parle de la formation pour devenir instituteur.   vrai ▢   faux ▢

2. 10 % des instituteurs ont déjà exercé une profession dans le privé.   vrai ▢   faux ▢

3. Ce sont des conditions de vie pénibles qui poussent des salariés du privé à devenir instituteur.   vrai ▢   faux ▢

4. Les personnes choisissent le métier d'instituteur uniquement pour la sécurité de l'emploi.   vrai ▢   faux ▢

S'EXPRIMER – ÉCRIT ✎

RECONVERSION (SUITE)

11

Une des personnes évoquées dans l'article précédent témoigne de sa reconversion dans le même magazine.
a) Choisissez la personne : un(e) ex-dentiste, un(e) ex-pharmacien(ne), une ex-esthéticienne, un(e) ex-cadre bancaire.
b) Écrivez son témoignage sur une feuille séparée.

Respectez le plan suivant.
- Précisez le nom et l'âge de la personne.
- Il/Elle évoque sa situation initiale.
- Il/Elle explique pourquoi il/elle a décidé de changer de vie (horaires chargés, obligation de résultats, contact difficile avec la clientèle, etc.).
- Il/Elle évoque les résultats positifs de ce changement.

DU CÔTÉ DU **LEXIQUE**

SENTIMENTS ET RÉACTIONS

1

Complétez la grille avec des adjectifs à l'aide des définitions suivantes.

Horizontalement
1. Elle a perdu son optimisme.
2. Ça va mieux ! Elle est...
3. Elle n'a plus de motivation.
4. Heureuse.

Verticalement
a. Elle est sans courage.
b. Elle est satisfaite d'avoir réussi ce qu'elle a fait.
c. Elle a envie de pleurer.

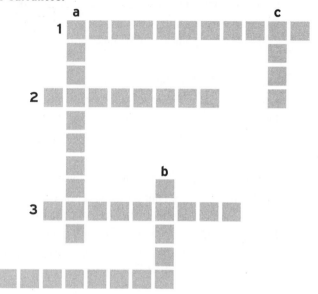

DU CÔTÉ DE LA **GRAMMAIRE**

LE DISCOURS RAPPORTÉ

2

Rapportez les paroles soulignées.

> 12 juillet
>
> Troisième jour à travers les sentiers des Cévennes : les ânes devant et nous derrière. Et là, surprise ! Nous avons rencontré par hasard Denise qui élève seule son troupeau de 250 chèvres.
> Étonnés, nous lui avons demandé : « <u>Pourquoi avez-vous choisi ce métier, généralement exercé par des hommes ?</u> » Amusée, elle nous a répondu : « <u>J'ai toujours vécu au milieu de la nature et j'adore les animaux ; de plus, je suis d'un tempérament solitaire et je bénéficie d'une solide santé !</u> »
> Yannick lui a demandé : « <u>Vous n'éprouvez pas le besoin de parler de temps en temps ?</u> » Elle a répondu en riant : « <u>Mais je parle beaucoup, j'ai de longues conversations avec mes chèvres !</u> »
> Le temps passe, nous l'avons quittée à regret : « Au revoir, Denise, <u>on reviendra vous voir l'année prochaine !</u> »

Nous avons demandé à Denise ....

Elle nous a répondu ....

....

Yannick ....

Elle ....

....

Nous l'avons quittée en lui disant ....

3

Rapportez les questions du journaliste et les réponses de trois concurrentes d'un marathon.

LE JOURNALISTE : Patricia, quelles sont vos premières impressions après cette superbe course ?

PATRICIA : Je suis très fière d'avoir remporté ce marathon !

LE JOURNALISTE : Qu'est-ce que vous allez faire pour fêter votre victoire ?

PATRICIA : On ira dans une boîte avec tous mes amis et on dansera toute la nuit ! Mais avant, je vais dormir une heure ou deux !

***

LE JOURNALISTE : Yasmina, vous êtes satisfaite de votre place de quatrième ?

YASMINA : Oui, je suis assez contente. Je ne pensais pas terminer la course aussi bien placée.

LE JOURNALISTE : Ça a été dur pour vous ?

YASMINA : Oui, très. À mi-course, j'ai bien failli m'arrêter !

***

LE JOURNALISTE : Comment avez-vous vécu cette course, Marie-Jo ?

MARIE-JO : Au bout de 4 ou 5 kilomètres, j'ai commencé à avoir très mal au pied gauche mais je n'ai pas voulu abandonner, j'ai surmonté ma douleur et j'ai été jusqu'au bout.

LE JOURNALISTE : Vous pourrez courir le marathon de New York, dans deux mois ?

MARIE-JO : Je vais me reposer une semaine, puis je reprendrai l'entraînement, je suis bien décidée à gagner la prochaine course !

Après la course, le journaliste a interviewé Patricia, il lui a demandé ....

....

....

Puis il a demandé à Yasmina ....

....

....

Enfin, il s'est adressé à Marie-Jo et il lui a demandé ....

....

....

DU CÔTÉ DE LA **COMMUNICATION**

EXPRIMER DES SENTIMENTS ET RÉACTIONS

4

Pour chaque situation, cochez l'énoncé correct.

1. Vous avez réussi une épreuve sportive.
   - ☐ **a.** Il faut que je tienne bon !
   - ☐ **b.** Je suis très ému(e) !
   - ☐ **c.** J'ai envie de tout arrêter !

2. Vous avez eu des difficultés pendant une épreuve sportive mais vous avez pu terminer normalement.
   - ☐ **a.** J'étais soulagé(e) !
   - ☐ **b.** J'ai décidé d'abandonner.
   - ☐ **c.** J'ai failli arrêter.

3. Vous commentez votre échec après une épreuve sportive.
- ☐ **a.** J'étais démotivé(e).
- ☐ **b.** J'ai réussi à surmonter les difficultés.
- ☐ **c.** J'ai cru que je n'y arriverais pas !

INTERROGER SUR/PARLER DE SES SUCCÈS PROFESSIONNELS

5

Retrouvez l'ordre de l'interview.

Profession : envoyé spécial

...... **a.** LE JOURNALISTE : Et ce reportage a été un succès puisque vous avez obtenu le grand prix des reporters, n'est-ce pas ?

...... **b.** VÉRONIQUE : Ça n'a pas été facile, même avec mon diplôme de journaliste. J'ai dû faire des petits boulots pour survivre et j'ai même failli changer de voie pour devenir professeur de lettres... et puis, un jour, j'ai rencontré Thomas Hugues...

...... **c.** LE JOURNALISTE : Dites-moi, Véronique, vous avez déjà connu la peur pendant l'exercice de votre profession ?

...... **d.** VÉRONIQUE : Exactement ! Thomas m'a fait confiance et m'a proposé de faire un reportage sur les Amérindiens.

...... **e.** LE JOURNALISTE : Comment avez-vous fait, Véronique, pour devenir envoyée spéciale à TV5 ?

...... **f.** VÉRONIQUE : Oui, j'étais vraiment très fière de ce prix, ça m'a redonné confiance.

...... **g.** LE JOURNALISTE : Votre prochaine mission ?

...... **h.** VÉRONIQUE : Bien sûr, en temps de guerre, c'est très dangereux de circuler dans les rues et j'ai eu très peur quelquefois mais j'ai toujours réussi à surmonter cette peur.

...... **i.** LE JOURNALISTE : Et c'est comme ça que vous être entrée à TV5...

...... **j.** VÉRONIQUE : Au Cambodge. Je pars la semaine prochaine avec un caméraman et deux stagiaires. Nous ferons un reportage sur la condition des femmes dans ce pays.

EN SITUATION

COMPRENDRE – ÉCRIT 👁

RÉUSSITE AU FÉMININ

6

Lisez le texte extrait d'un magazine et répondez aux questions.

Laurence BERMAN CLÉMENT
42 ans, directrice générale de Jet Tours

Elle s'est retrouvée à 37 ans à la tête de Jet Tours. Mission : remplir les caisses du voyagiste, qui perdait 5 millions d'euros par an. « Non seulement j'étais une jeune femme dans un secteur très masculin, mais je ne connaissais rien au métier », se souvient cette diplômée de l'Essec. Cinq ans plus tard, résultat : 5 millions d'euros de bénéfices et un chiffre d'affaires de 300 millions d'euros. « Finalement, ma particularité a été un atout. » Elle dit pratiquer un management féminin : « Je prends le temps de convaincre mes collaborateurs. » Cette maman d'un petit garçon essaie de rentrer tous les soirs à 19 heures quand elle est à Paris.

D'après *Management*, mai 2006.

_____

Essec : École supérieure des sciences économiques et commerciales.

Choisissez dans la liste un titre pour le dossier dont est extrait le texte et justifiez votre choix.

- ☐ **a.** Difficile d'être une femme
- ☐ **c.** Comment devenir manager
- ☐ **b.** Les femmes aux commandes
- ☐ **d.** Le top 50 des entreprises françaises

....

S'EXPRIMER – ÉCRIT ✐

EXPLOIT EXTRA-TERRESTRE

7

Lisez le début de l'article et rédigez la suite.

- Vous racontez le voyage d'Armelle en fusée.
- Vous rapportez quelques-unes de ses impressions.
- Vous évoquez ses premiers pas sur la Lune.
- Vous rapportez ses premières impressions.

◄ **Une femme sur la Lune !** ►

La française Armelle Lavigne a mis le pied sur la Lune hier à 12 h 03, heure de Paris. C'est la première femme qui réussit cet exploit après celui de l'Américain Armstrong en 1969…

DU CÔTÉ DU LEXIQUE

BILAN POSITIF OU NÉGATIF

1

Classez les réactions suivantes selon qu'elles expriment un état d'esprit positif ou négatif.

1. C'est dommage !
2. C'était un heureux hasard !
3. Je n'ai aucun regret !
4. La chance était au rendez-vous !
5. J'ai pas le moral !
6. Comme je regrette !
7. La chance de ma vie !
8. Coïncidence regrettable !
9. Ah ! Comme j'aurais aimé !

État d'esprit positif	État d'esprit négatif
....	....
....	....
....	....
....	....
....	....

DU CÔTÉ DE LA GRAMMAIRE

SI + PLUS-QUE-PARFAIT, CONDITIONNEL PASSÉ/PRÉSENT POUR IMAGINER UN PASSÉ DIFFÉRENT

2

Transformez, comme dans l'exemple.

Exemple : Tourisme – Les touristes ne sont pas descendus dans le Sud parce que le temps a été mauvais.
→ *Les touristes seraient descendus dans le Sud si le temps avait été beau.*

Faits divers

1. L'automobiliste a heurté un camion parce qu'il n'a pas vu le stop.

....

2. Les malfaiteurs ont tranquillement vidé les coffres de la banque parce que l'alarme n'a pas fonctionné.

....

Économie/Politique

3. Les consommateurs sont en colère parce que l'essence a encore augmenté.

....

4. Le ministre déclare : « La France est sortie de la crise parce que nous avons fait les bons choix. »

....

5. On compte à présent moins de 10 % de chômeurs parce que le gouvernement a su mener une politique efficace.

....

Sport

6. L'équipe de France a perdu parce que son gardien de but a mal joué.

....

7. Fabrice Maronot n'a pas pu jouer en finale parce qu'il s'est blessé à la cheville.

....

Cinéma

8. L'actrice déclare : « J'ai refusé de tourner dans ce film parce que le scénario ne m'a pas plu. »

....

9. Hier, toutes les salles étaient pleines parce que c'était la fête du cinéma.

....

3

Complétez les phrases en imaginant la condition, comme dans l'exemple. Utilisez le plus-que-parfait.

Exemple : Une mère à son enfant – Je t'aurais acheté un gâteau si tu n'en avais pas déjà mangé un.

Une mère à son enfant

1. Tu pourrais regarder la télévision maintenant si ....

Un directeur à un candidat

2. Je vous aurais embauché si ....

Un directeur à son employé

3. Nous aurions pu signer le contrat si ....

Un homme à son ex-femme

4. Je serais le plus heureux des hommes si ....

5. Je ne t'aurais pas quittée si ....

Un réalisateur à un acteur

6. On ne devrait pas recommencer encore la scène si ....

Un professeur à ses étudiants

7. Je ne vous aurais pas donné de travail supplémentaire si ....

8. Vous auriez eu des notes correctes si ....

LE CONDITIONNEL PASSÉ POUR EXPRIMER UN REGRET

4

Transformez les souhaits en regrets. Utilisez le conditionnel passé.

1. J'aimerais voyager à l'autre bout du monde, connaître d'autres paysages et d'autres cultures, je voudrais bien apprendre plusieurs langues. Je me vois très bien en pilote de ligne, j'aurais une vie passionnante !

....

....

....

2. J'aimerais bien être chanteuse. Je me vois très bien poursuivie par un groupe de fans, je signerais des autographes pendant des heures et j'aurais ma photo dans tous les magazines !

....

....

....

IMAGINER UN PASSÉ DIFFÉRENT

5

Faites parler les quatre personnes évoquées dans la presse. Elles imaginent leur situation sans l'intervention de la chance.

1.

IL REMPORTE LE PREMIER PRIX AU CONCOURS DE LA STAR ACADEMY

« Je ne voulais pas y aller, ce sont mes amis qui m'y ont obligé ! »

....

2.

AU RESTAURANT, IL TROUVE UNE PERLE DANS UNE HUÎTRE

« Il n'y avait plus de foie gras, alors j'ai commandé des huîtres à la place ! »

....

3.

IL GAGNE 10 MILLIONS D'EUROS AU LOTO

« D'habitude, je joue ma date de naissance mais, cette fois-ci, j'ai voulu changer pour voir… »

....

4.

Sauvé des eaux par son chien

« Moi qui ne voulais pas l'adopter ! Maintenant je ne me séparerai jamais de lui ! »

....

EXPRIMER DES REGRETS

6

Pour chaque situation, la personne exprime un regret. Variez les formulations.

Vacances regrettables

1. On est allés sur la Côte d'Azur, parce que mon mari le voulait.

....

2. On a eu des visites d'amis tous les jours.

....

3. On a loué une villa mais elle était à 5 km de la mer.

....

4. J'ai pris des cours de plongée et je n'ai pas aimé ça du tout.

....

5. J'ai dépensé plus de 1 000 € en restaurant et boîte de nuit et finalement je ne me suis pas tellement amusée.

....

COMPRENDRE – ÉCRIT ◉

HOROSCOPE

7

Sur une feuille séparée, rédigez quelques-uns des témoignages suivants.

– Une personne Bélier qui a suivi les conseils donnés et qui s'en félicite.
– Une personne Bélier qui a suivi les conseils donnés et qui le regrette.
– Une personne Taureau qui n'a pas suivi les conseils donnés et qui le regrette.
– Une personne Taureau qui a suivi les conseils donnés et qui le regrette.

Aidez-vous de l'extrait d'horoscope ci-dessous.

• La personne rappelle les conseils et prédictions de son horoscope.
• Elle raconte ce qui s'est réellement passé dans sa vie.
• Elle imagine un scénario différent pour souligner la chance qu'elle a eue ou exprime des regrets.

PSYCHOMAG – FORUM DISCUSSION

THÈME DU JOUR :
croire ou ne pas croire les prédictions et conseils des horoscopes.

ENVOYEZ VOS TÉMOIGNAGES.

L'HOROSCOPE DE VOTRE ANNÉE,
MOIS APRÈS MOIS, SIGNE PAR SIGNE

MOIS DE JANVIER

BÉLIER 21 mars–20 avril

Amour : quittez l'être avec qui vous vivez, rien de bon ne peut se produire avec cette personne.

Travail : vous aurez une belle promotion ce mois-ci.

Argent : jouez uniquement des nombres pairs aux jeux d'argent.

TAUREAU 21 avril–20 mai

Amour : janvier sera un mois exceptionnel : vous allez rencontrer la femme/ l'homme de votre vie.

Travail : votre place est autre part : il n'y a pas d'avenir là où vous vous trouvez.

Argent : n'hésitez pas à prêter un peu... on vous le rendra deux fois plus.

ÉCOLOGIE

1

Faites correspondre les constats de l'Université verte de Toulouse avec les titres du sommaire de *BIOmag* (deux titres par constat).

Nous constatons que :

1. le climat est bouleversé.

2. les ressources naturelles s'épuisent.

3. la pollution ne cesse d'augmenter.

4. la biodiversité est attaquée.

DU CÔTÉ DE LA **GRAMMAIRE**

INDIQUER LA NÉCÉSSITÉ D'AGIR

2

a) Transformez, comme dans l'exemple. Utilisez les expressions suivantes.

il est essentiel/urgent/important/primordial/nécessaire/indispensable de + infinitif

Exemple : Je trie mes déchets.
➜ *Il est essentiel de trier ses déchets.*

Mon défi pour la Terre : je m'engage sur un ou plusieurs de ces gestes.

1. Je choisis des produits respectueux de l'environnement.

....

2. J'éteins les appareils électriques au lieu de les laisser en veille.

....

3. J'utilise des appareils économes en énergie.

....

4. Je prends des douches et non pas des bains.

....

5. Je conduis souplement et moins vite.

....

6. Je fais les petits déplacements à pied.

....

7. J'évite de prendre l'avion.

....

8. Je ne surchauffe pas mon logement.

....

9. J'installe un chauffe-eau solaire.

....

b) Transformez les phrases précédentes, comme dans l'exemple. Utilisez les expressions suivantes.

il est essentiel/urgent/important/primordial/nécessaire/indispensable que vous/chaque citoyen + subjonctif

Exemple : Il est essentiel de trier ses déchets.
➜ *Il est essentiel que vous triiez vos déchets/que chaque citoyen trie ses déchets.*

1. ....

2. ....

3. ....

4. ....

5. ....

6. ....

7. ....

8. ....

9. ....

L'INDICATIF OU LE SUBJONCTIF POUR PRENDRE POSITION, EXPRIMER UNE OPINION

3

Mettez les verbes entre parenthèses à l'indicatif ou au subjonctif, comme il convient.

Après une simulation d'entretien d'embauche

LE STAGIAIRE : Après coup, je constate que ce ne .... (être) pas évident de se mettre en valeur.

L'ANIMATEUR : Bien sûr, Michel, je sais que ce ne .... (être) facile !

LE STAGIAIRE : En fait, je suis timide et ça m'étonnerait que je .... (pouvoir) être à l'aise un jour !

L'ANIMATEUR : Je trouve que vous .... (être) très pessimiste ! Moi, je suis sûr qu'avec de l'entraînement ça .... (aller) bien.

LE STAGIAIRE : Vous croyez ?

L'ANIMATEUR : Oui, parfaitement ! Je ne veux pas que vous .... (baisser) les bras. Courage ! Je propose que vous .... (revenir) demain pour une autre simulation.

EXPRIMER LA NÉCESSITÉ D'AGIR

4

Lisez les chiffres suivants et réagissez en insistant sur la nécessité d'agir.

CRISE DU LOGEMENT EN FRANCE

5,7 millions de gens vivent dans des logements sales et sans confort.

700 000 personnes sont sans logement.

2 millions de logements restent inoccupés (chiffre stable depuis 20 ans).

....

....

....

....

....

....

....

....

PRENDRE POSITION

5

Réagissez aux propos entendus à l'occasion du colloque « Quel avenir pour notre planète ? ».
Exprimez au choix une opinion pure, une volonté, une certitude ou un doute.

1. Les gens ne voudront jamais changer leurs habitudes de vie, ils sont trop attachés à leur confort !

....

2. Prendre l'avion ne sera bientôt plus un problème puisqu'on va construire des appareils qui fonctionnent grâce à l'énergie solaire.

....

3. Pourquoi investir tant d'argent pour la protection des espèces animales en voie de disparition alors qu'il y a des millions de gens qui meurent de faim dans le monde ?

....

4. Quand on n'aura plus de pétrole, on passera au tout nucléaire et puis voilà !

....

5. On ne peut rien faire pour stopper le réchauffement climatique. Il faudra s'y habituer !

....

COMPRENDRE – ÉCRIT ◉

LES ÉNERGIES RENOUVELÉES

6

Vrai ou faux ? Lisez l'article et répondez.

UN PAYS À L'ÈRE DU RENOUVELABLE

La Suède est l'un des très rares pays industrialisés qui consomment bientôt plus d'énergies renouvelables que de pétrole. Chacune de ces deux sources fournit aujourd'hui 40 % des besoins du pays (les 20 % restants provenant du nucléaire), mais la demande de pétrole continue de diminuer, alors que les énergies hydraulique, solaire, éolienne ou utilisant la biomasse[1] progressent. C'est après les chocs pétroliers des années 1970 que Stockholm a fait le choix du renouvelable. À présent, la moitié des réseaux de chauffage urbain et d'eau chaude du pays est alimentée grâce aux biocombustibles[2] tels que le bois. Autre atout de la Suède : un climat et un relief qui ont permis la construction de plus de 200 grosses centrales hydroélectriques. Un programme vise actuellement à augmenter de 10 % la part de l'électricité provenant d'énergies renouvelables d'ici à 2010. En cas de succès, il pourrait être adopté par l'ensemble de l'Union européenne.

D'après *L'Expansion*, octobre 2005, n° 701.

1. *Biomasse :* masse de matière vivante, animale ou végétale.
2. *Combustible :* ce qui peut être brûlé pour fournir de l'énergie. *Biocombustible :* la même chose, mais d'origine végétale.

1. Actuellement, en Suède, on utilise autant d'énergies renouvelables que de pétrole. ▫ vrai ▫ faux

2. La Suède ne consomme pas d'énergie nucléaire. ▫ vrai ▫ faux

3. Depuis plus de 25 ans, la Suède développe une politique en faveur des énergies renouvelables. ▫ vrai ▫ faux

4. Les villes suédoises sont entièrement chauffées au bois. ▫ vrai ▫ faux

5. Les pays de la Communauté européenne s'intéressent au modèle suédois pour sa politique énergétique. ▫ vrai ▫ faux

S'EXPRIMER – ÉCRIT ✐

FASHION VICTIMES

7

Sur une feuille séparée, rédigez la quatrième de couverture du livre *La Tyrannie de la mode chez les jeunes*.

- Faites le constat de la situation : montrez par des exemples que certains jeunes sont des *fashion victimes*.
- Décrivez les comportements et attitudes : importance de la publicité, difficulté à être soi-même...
- Incitez les parents à (ré)agir (proposez des actions précises) et indiquez dans quel but.

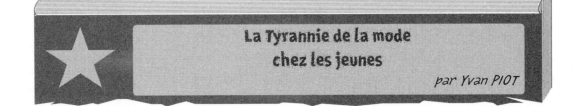

La Tyrannie de la mode
chez les jeunes

par Yvan PIOT

OPINION DES LECTEURS

8

Sur une feuille séparée, rédigez les commentaires de deux lecteurs du livre *La Tyrannie de la mode chez les jeunes* sur le forum du site Éducations.

- L'un approuve le contenu du livre.
- L'autre exprime son scepticisme à propos des actions proposées.

@ http://www.educations.net

ÉDUCATIONS

Accueil

Forum

FAQ

Thème du jour : les jeunes et la mode

Bonjour,

Je viens de lire l'ouvrage d'Yvan Piot : « La Tyrannie de la mode chez les jeunes »...

LIVRES

1

Associez personnes et actions.

1. Un bibliothécaire	**a.** s'occupe de la publication d'un livre.
2. Un auteur/écrivain	**b.** lit un livre.
3. Un libraire	**c.** écrit un livre.
4. Un éditeur	**d.** archive des livres qu'on peut emprunter ou lire sur place.
5. Un lecteur	**e.** vend des livres.

2

Complétez le message avec les mots suivants.

lecture(s) – auteur(s) – littérature – programme(s) – livre(s) – débat(s) – représentation(s) – manifestation(s)

Le . . . . *est à l'honneur.*

Spécialement destiné à ceux qui sont passionnés de . . . . , Lire en fête est une

. . . . culturelle qui a lieu chaque année. À cette occasion, pendant un week-end, vous pouvez

rencontrer et échanger avec des . . . . mais aussi assister à des . . . .

théâtrales ou bien écouter des . . . . publiques d'ouvrages variés. De plus, chaque jour,

des . . . . sont organisés autour d'un thème ou d'un écrivain. Pour plus d'informations

sur le . . . . de Lire en fête de cette année, consultez le site www.lirenfete.com.

3

Choisissez le mot qui convient.

```
Monsieur,
Nous vous demandons de
(prêter – rendre – emprunter)
. . . . . . . . . . . . . . . . . . . . . . . au plus
vite le livre que vous avez
(vendu – prêté – emprunté)
. . . . . . . . . . . . . . . . . . . . . . . le 15 mars
dernier. Nous vous rappelons
que la bibliothèque
(prête – rend – emprunte)
. . . . . . . . . . . . . . . . . . . . . . . les livres
pour une durée maximale
de trois semaines.
```

DU CÔTÉ DE LA **GRAMMAIRE**

LES MARQUEURS TEMPORELS

4

Complétez avec *dès*, *depuis* ou *à partir de*.

1. Connaissez-vous *Ushuaïa*, le magazine télé conçu et présenté par Nicolas Hulot sur TF1 ....
le 13 septembre 1987 ? .... ses premières diffusions, le magazine a remporté un vif succès.
L'émission a changé de nom .... le 31 janvier 2001 et ne s'appelle plus *Le Magazine de l'extrême*
mais *Ushuaïa Nature*.

2. La fête des voisins a vu le jour à Paris en 1999. .... l'année qui a suivi, l'événement
a été programmé au niveau national et est devenu européen .... 2003 avec le lancement
de la fête des voisins, en Belgique. Chaque année, ... trois ans, le *European Neighbours' Day*
est fêté dans toute l'Europe.

5

Complétez avec *depuis que*, *dès que* ou *jusqu'à ce que*.

Fans de lecture

1. .... je rentre de mon travail, je m'accorde une heure de repos : je m'isole pour lire un roman.

2. .... la bibliothèque municipale a créé un espace Aventures de l'extrême, j'emprunte un livre par semaine.

3. En été, je m'installe dans le jardin et je lis .... il fasse nuit. Ce sont des moments délicieux !

4. .... j'ai vu l'adaptation au cinéma du roman *Les Misérables* de Victor Hugo, j'ai eu envie de lire le livre.

5. Je n'étais pas très attiré par les récits d'aventures, ... je lise *L'Enfant des neiges*, de Nicolas Vanier.

Réaliser ses rêves

6. .... il a été majeur, mon fils a voulu s'engager comme bénévole dans une ONG mais, comme
il fallait avoir une formation spécifique, il est resté en France .... il obtienne son diplôme
de secouriste. .... il travaille à la Croix-Rouge, il réalise son rêve.

6

Imaginez la fin de chaque déclaration d'amour.

1. Je suis tombé(e) amoureux/amoureuse de toi dès que ....

2. Je suis le plus heureux des hommes/la plus heureuse des femmes, depuis que ....

3. Le matin, je suis triste jusqu'à ce que ....

4. Mon cœur se met à battre très fort dès que ....

LES DOUBLES PRONOMS

7

Dites de quoi parlent les personnes.

1. Redonne-les-moi tout de suite, elles sont fragiles, tu pourrais les casser ! → ....

2. Inutile de me l'envoyer, j'irai le commander dans une librairie. → ....

3. J'en ai acheté six bouteilles, je te le ferai goûter quand tu viendras. → ....

4. Je l'adore, fais-la-moi écouter encore une fois ! → ....

5. Tu verras, vous êtes très bien dessus, je vous les montrerai samedi. → ....

6. – Allez, donne-le-lui !
– Ah non ! Il souffle ses bougies d'abord ! → ....

8
Complétez avec les pronoms qui conviennent.

😊 Sarah dit :

Claire, c'est toi qui as le dernier roman de Modiano qui m'appartient. Pour mémoire : je .... ai prêté il y a deux mois et j'aimerais bien savoir quand tu vas .... rendre.

😊 Claire dit :

Pas de panique, Sarah ! Tu as oublié qu'il y a trois semaines, Luc voulait .... emprunter aussi et que je .... ai passé AVEC TON AUTORISATION. C'est donc Luc qui doit .... rendre et pas moi !

😊 Sarah dit :

OK ! Mille excuses, je me souviens maintenant, mais je n'ai pas les coordonnées de Luc. Peux-tu .... transmettre, STP ? Merci !

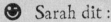

DU CÔTÉ DE LA **COMMUNICATION**

PARLER DE L'ÉVÉNEMENT LIRE EN FÊTE

9
Voici un extrait d'une émission télé consacrée à Lire en fête. Retrouvez l'ordre des échanges entre les trois personnes.

...... **a.** LA JOURNALISTE : Merci pour votre témoignage. Je me tourne à présent vers M. Dalençon, qui est chargé de la diffusion de Lire en fête à l'étranger, n'est-ce pas ?

...... **b.** THOMAS : Oui, mais depuis l'année dernière seulement et tout à fait par hasard, en allant chercher mon pain : il y avait une lecture publique devant la boulangerie.

...... **c.** LA JOURNALISTE : Comment ça se passe concrètement ?

...... **d.** THOMAS : Eh bien, le lendemain, je suis allé à la Nuit des libraires et j'ai pu assister à des débats très intéressants. Cette année, j'espère bien découvrir encore de nouvelles manifestations !

...... **e.** LA JOURNALISTE : Et ça vous a plu ?

...... **f.** M. DALENÇON : Des manifestations sont organisées dans les centres culturels, les bibliothèques, les librairies, les salles de cinéma…

...... **g.** LA JOURNALISTE : Ensuite, vous avez assisté à d'autres manifestations ?

...... **h.** THOMAS : Oui, beaucoup, j'ai trouvé l'idée très originale.

...... **i.** LA JOURNALISTE : Alors, pour commencer, je vous présente Thomas, qui est allemand. Thomas, vous êtes depuis quatre ans en France. Est-ce que vous connaissiez Lire en fête ?

...... **j.** M. DALENÇON : Lire en fête se déroule dans près de cent pays.

...... **k.** LA JOURNALISTE : Merci à tous, nous allons voir maintenant un petit reportage en images sur Lire en fête à l'étranger, justement.

...... **l.** M. DALENÇON : Tout à fait. Je travaille avec l'ensemble du réseau culturel français à l'étranger.

...... **m.** LA JOURNALISTE : Alors, combien de pays sont concernés ?

COMPRENDRE – ÉCRIT ✐

LA SEMAINE DU GOÛT

10

Sur une feuille séparée, vous rédigez pour un livre sur la cuisine française un paragraphe sur la Semaine du goût.
Aidez-vous des notes suivantes.

1990	Initiée par J.-L. Petitrenaud et la Collective du sucre, première Journée du goût lundi 15 octobre 1990.
	Objectif : développer l'éducation et l'apprentissage du consommateur. 350 chefs donnent leur première Leçon de goût aux élèves de CM1-CM2 des écoles parisiennes.
1992	La Journée du goût devient Semaine du goût.
2000	83 % des Français connaissent cet événement qui a lieu maintenant dans toutes les grandes villes françaises.
2002	Premiers Cafés philo du goût : débats sur les plaisirs du palais. Le cap des 5 000 Leçons de goût est dépassé.
2005	La 16e édition a pour intitulé : « Réveillez-vous au goût ! » – 6 200 Leçons de goût. – 700 manifestations sur le goût.

ÉGALITÉ HOMMES-FEMMES

1

Complétez l'article de presse avec les mots suivants.

écart(s) – différence(s) – parité – femme(s) – machisme – féministe(s) – disparité(s)

Comme en politique, la .... des sexes n'est pas encore une réalité dans le monde des affaires.

En France, 3 % seulement des patrons de grandes entreprises sont des .... Mais, globalement, les .... diminuent parce que la société et le droit évoluent.

En matière de salaires, les .... entre les cadres des deux sexes se réduisent mais ils restent importants.
Pourquoi une telle .... de traitement ?
« Parce que le .... a la vie dure », répondent les ....

L'INDICATIF OU LE SUBJONCTIF POUR EXPRIMER OPINIONS ET SENTIMENTS

2

Mettez les verbes à l'indicatif ou au subjonctif, comme il convient.

Une femme vient d'être nommée à la tête de la société DURACOR...

1. « Je suis convaincue qu'elle .... (être) plus ouverte au dialogue qu'un homme, mais je crains qu'elle .... (subir) les préjugés machistes de certains collègues. »

2. « Moi, je souhaite tout simplement qu'elle .... (faire) du bon boulot et qu'elle nous .... (sortir) de la crise. »

3. « Je regrette qu'on .... (prendre) une femme pour commander des équipes essentiellement masculines. Je doute qu'elle .... (avoir) l'autorité suffisante pour faire marcher la boîte. »

4. « J'espère qu'elle .... (être) plus efficace que notre ex-directeur ! »

5. « Je ne suis pas certain que ce .... (être) une bonne chose. J'ai peur que les réunions n'en .... (finir) plus et qu'elle .... (ne pas savoir) prendre les décisions qui conviennent.

6. « Moi, je préfère qu'elle .... (faire) ses preuves avant de la juger. »

7. « Après une petite période d'adaptation, il est probable qu'elle .... (être) vite acceptée et que tout .... (aller) bien entre nous. »

8. « Il est impossible qu'une femme aussi compétente qu'elle .... (ne pas réussir) ! »

EXPRIMER DES PROBABILITÉS

3

Réagissez à ces différentes affirmations concernant l'avenir. Utilisez les expressions suivantes.

il est probable/possible/peu probable/impossible que...

Un jour...

1. Il n'y aura plus d'injustice sur Terre.

....

2. La misère disparaîtra.

....

3. Les hommes vivront en paix.

....

4. Les femmes seront majoritairement à des postes de pouvoir.

....

5. On partira en vacances sur la Lune.

....

6. On choisira d'autres énergies que le pétrole.

....

MARQUER UN CONTRASTE

4

Reformulez les différences, comme dans l'exemple. Utilisez les expressions suivantes.

alors que – par contre – d'un côté... d'un autre côté

Exemple : Les garçons courent et les filles se racontent des histoires.
➜ D'un côté, les garçons courent, d'un autre côté, les filles se racontent des histoires.
 Les garçons courent, alors que les filles se racontent des histoires.
 Les garçons courent. Par contre, les filles se racontent des histoires.

> ## COMPORTEMENTS DIFFÉRENTS
>
> Cours de récréation : les garçons courent dans tous les sens et les filles se racontent tranquillement d'interminables histoires. Quelques années plus tard, au collège : foot ou fringues. La ligne de partage est claire.
>
> À l'heure de la vie de couple, ça continue : madame cherche toujours à tout expliquer, monsieur n'écoute jamais rien. Et, au bureau, les deux sexes se séparent évidemment : il y a celles qui sont adeptes des réunions et ceux qui sont obsédés par le timing.

....

....

....

....

....

EXPRIMER OPINIONS ET SENTIMENTS

5

Imaginez le contexte de production des répliques suivantes (qui parle à qui, où, quand, pour quoi faire ?) et identifiez pour chaque réplique les idées et/ou les sentiments exprimés.

1. Pour finir, je voudrais vous dire que je suis très émue et fière de travailler bientôt avec vous et je suis persuadée, chers collègues, qu'ensemble nous ferons un très bon travail.

2. Demain, le temps sera nuageux et il est probable même qu'il pleuvra sur la moitié nord du pays.

3. Mets ton pull avant de partir, mon chéri, je ne veux pas que tu prennes froid.

4. J'ai bien peur qu'on ne puisse pas repartir, c'est sans doute une panne d'essence et je doute fort qu'il y ait une station-service dans le coin !

5. J'espère qu'on pourra se revoir bientôt. Je vous appelle dans la semaine pour vous inviter à dîner un soir, d'accord ?

6. C'est bizarre, mais je ne reconnais pas les lieux, je ne crois pas qu'on soit dans la bonne direction.

7. Nommer une femme à la direction de notre usine de Strasbourg ? Réfléchissez bien, messieurs, il est possible que ça déplaise à un grand nombre de nos salariés.

COMPRENDRE – ÉCRIT ◉

EN ROUTE VERS L'ÉGALITÉ ?

6

Vrai ou faux ? Lisez l'article et répondez.

LES FRANÇAISES D'AUJOURD'HUI

À travail égal avec les hommes, leurs salaires ne sont égaux que dans le secteur public. Dans le privé, l'écart est en moyenne de 20 %. À compétence égale ou supérieure avec leurs collègues masculins, elles sont deux fois moins souvent choisies qu'eux pour une promotion. Et quand elles deviennent cependant chefs, il n'est pas rare que leurs subordonnées le vivent mal, qu'il s'agisse d'hommes... ou de femmes. Malgré leurs excellents résultats scolaires – toujours meilleurs que ceux des garçons –, les Françaises continuent par ailleurs à s'orienter massivement vers les filières les moins valorisantes, ce qui marque la persistance d'un complexe d'infériorité probablement transmis de façon inconsciente à tous les échelons de la société (parents, proches, éducateurs et conseillers en tous genres).

D'après *Le Figaro magazine*,
semaine du 15 octobre 2005.

1. À compétence égale, hommes et femmes ont la même rémunération dans le secteur public.　▣ vrai　▣ faux

2. À compétence égale, une femme a autant de chances d'obtenir une promotion qu'un homme.　▣ vrai　▣ faux

3. Tout comme les hommes, les femmes ont parfois du mal à travailler sous les ordres d'une autre femme.　▣ vrai　▣ faux

4. À l'école, les filles réussissent aussi bien que les garçons.　▣ vrai　▣ faux

5. En général, les garçons suivent des cursus scolaires et universitaires plus prestigieux que les filles.　▣ vrai　▣ faux

S'EXPRIMER – ÉCRIT ◈

EN ROUTE VERS L'ÉGALITÉ ? (SUITE)

7

À votre tour, rédigez sur une feuille séparée un article sur les femmes dans votre pays.

- Indiquez la nationalité dans le titre de l'article.
- Faites part de la situation des femmes dans votre pays (dans le travail ou bien dans le couple et la famille).
- Exprimez vos opinions et sentiments concernant cette situation.

LES .... D'AUJOURD'HUI

LA LÉGISLATION SUR LE TABAC

1

Trouvez les mots manquants pour compléter le texte.

La _ _ _ de 1992 qui réglemente l'usage de la cigarette en France interdit de fumer dans certains l _ _ _ x
p _ _ _ _ _ s comme les hôpitaux, les gares et les aéroports. Elle oblige les établissements comme les l _ _ _ x
de t _ _ _ _ _ l, les restaurants et cafés à offrir des z _ _ _ s f _ _ _ _ _ _ s et n _ _ _-_ _ _ _ _ _ s
séparées.

VERBES EXPRIMANT LA CONSÉQUENCE

2

Complétez les arguments de différentes campagnes de prévention avec les verbes suivants au présent.

provoquer – favoriser – permettre – aggraver – améliorer – entraîner – empêcher – rendre

1. Pratiquer la course à pied régulièrement .... le souffle et la résistance du cœur.

2. Des études scientifiques affirment que la consommation régulière de fruits et légumes ....
de limiter certaines maladies comme le cancer.

3. Le manque d'activité physique chez les jeunes enfants .... souvent un surpoids.

4. Manger trop de sucres .... la fragilité naturelle des dents.

5. La consommation quotidienne d'alcool .... les gens dépendants.

6. La pollution .... un réchauffement du climat.

7. Il faut faire comprendre aux enfants que travailler dans le bruit .... la concentration.

8. Pour combattre la solitude, pratiquer des activités associatives .... les contacts.

3

Choisissez le mot qui convient.

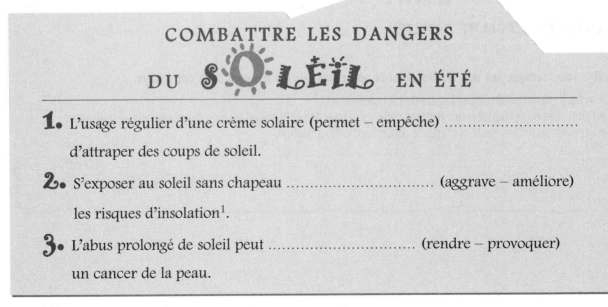

COMBATTRE LES DANGERS
DU S☀LÉIL EN ÉTÉ

1. L'usage régulier d'une crème solaire (permet – empêche) ....
d'attraper des coups de soleil.

2. S'exposer au soleil sans chapeau .... (aggrave – améliore)
les risques d'insolation[1].

3. L'abus prolongé de soleil peut .... (rendre – provoquer)
un cancer de la peau.

1. *Insolation :* réaction violente de l'organisme avec une forte fièvre.

NUISANCES

4

Trouvez pour chaque définition un verbe ou une expression contenant un verbe.

1. Faire quelque chose qui dérange les autres personnes, les voisins : ....

2. Déclarer au commissariat de police qu'on a été victime : ....

3. Être dérangé(e) par le bruit des voisins ou de la circulation, la pollution, la fumée de cigarette : ....

4. Déclarer au commissariat de police qu'on est victime d'une personne précise : ....

5. Protester contre certaines actions ou personnes : ....

DU CÔTÉ DE LA GRAMMAIRE

USAGE DU PARTICIPE PRÉSENT

5

a) Transformez en utilisant un participe présent, comme dans l'exemple.

Exemple : Les passionnés de livres qui souhaitent organiser un événement pendant Lire en fête peuvent envoyer leur dossier.
→ *Les passionnés de livres souhaitant organiser un événement pendant Lire en fête peuvent envoyer leur dossier.*

1. Comme les habitants de l'immeuble sont dérangés par le bruit de la terrasse de café, ils ont écrit une lettre au maire pour protester.

   ....

2. Les responsables des campagnes pour l'environnement s'adressent souvent aux enfants parce qu'ils savent que les bonnes habitudes se prennent pendant l'enfance.

   ....

3. Les personnes qui ont envie de participer à l'organisation de la fête des voisins peuvent s'adresser au gardien.

   ....

b) Transformez les phrases, comme dans les exemples.

Exemples : Les résidents ayant des vélos ne doivent pas les laisser dans l'entrée de l'immeuble.
→ *Les résidents qui ont des vélos ne doivent pas les laisser dans l'entrée de l'immeuble.*
Le nombre de personnes agressées augmentant toujours, le maire a renforcé la surveillance des rues.
→ *Comme le nombre de personnes agressées augmente toujours, le maire a renforcé la surveillance des rues.*

1. Vous trouverez la liste des libraires participant à l'opération sur le site de Lire en fête.

   ....

2. Un lecteur empruntant un livre à la bibliothèque municipale doit le rendre dans un délai de deux semaines.

   ....

3. La France ayant encore des progrès à faire pour l'égalité, la ministre déléguée à la Parité et à l'Égalité professionnelle a remis la Charte de l'égalité au Premier ministre.

   ....

4. Les personnes voulant déposer une plainte contre X doivent se rendre au commissariat de police.

   ....

5. De plus en plus de personnes se plaignant du bruit, les habitants ont décidé de signer une pétition et de l'envoyer au maire de la ville.

   ....

METTRE EN ÉVIDENCE LA CAUSE, LA CONSÉQUENCE

6

Reconstituez les extraits de presse : associez les éléments des colonnes B et D puis choisissez une expression dans les colonnes A ou C pour mettre en relief la cause ou la conséquence.

A	B	C	D
	la voiture de Harry Potter était en mauvais état		il a été demandé aux habitants de rester chez eux jusqu'à nouvel ordre.
étant donné que	les deux motocyclistes étaient casqués	par conséquent	le gouvernement a décidé de renforcer les sanctions pour les excès de vitesse.
comme	un cyclone arrive sur les côtes de la Réunion	c'est pourquoi	les enquêteurs pensent que les voleurs l'ont soulevée pour l'emporter.
puisque	les artistes continuent à protester contre les téléchargements excessifs de musique sur Internet		la victime n'a pas pu voir leurs visages.
	le nombre d'accidents de la route ne baisse pas assez vite		le ministre de la Culture prépare un projet de loi qui sera discuté à l'automne.

....
....
....
....
....
....
....
....
....
....

DU CÔTÉ DE LA **COMMUNICATION**

EXPRIMER UNE CONSÉQUENCE

7

Formulez les déclarations en indiquant les conséquences négatives ou positives, comme dans l'exemple.

Exemples : faire du sport — rester mince
➔ *Faire du sport, ça permet de rester mince.*
s'exposer au soleil sans protection — danger pour la peau — maladies de peau
➔ *S'exposer au soleil sans protection, c'est dangereux pour la peau/ça provoque des maladies de peau.*

Déclarations entendues à la radio

1. faire du ski sans lunettes de soleil – brûlures graves aux yeux

....

2. la pratique des sports extrêmes – renforcer la confiance en soi

....

3. des horaires réguliers et un bon sommeil – la concentration des enfants en classe

....

4. parler au moins deux langues étrangères – voyages et contacts internationaux

....

5. mener des actions humanitaires après la retraite – (ne pas) souffrir de l'ennui et de la solitude

....

6. seule une pratique régulière – les résultats sportifs

....

7. dans les zones des aéroports, le bruit excessif – les habitants nerveux, troubles du sommeil

....

EN SITUATION

COMPRENDRE – ÉCRIT ◉

VIVRE AVEC LE BRUIT

8

Vrai ou faux ? Observez le tableau et répondez.

La mesure en décibels : du silence à la douleur

Échelle des niveaux sonores	Source de bruit	Sensation, effet auditif	Conversation
130 dB	Réacteur à quelques mètres	Dommages physiques	
120 dB	Décollage d'un avion	Seuil de la douleur	Impossible
110 dB	Marteau-piqueur à 1 mètre	Supportable un court instant	
90 dB	Moto à 2 mètres	Bruit très pénible	En criant
70 dB	Restaurant bruyant	Supportable, mais bruyant	En parlant fort
40 dB	Bureau tranquille	Calme	À voix normale
30 dB	Jardin calme	Très calme	
20 dB	–	Silence anormal	À voix basse
10 dB	Seuil d'audibilité		

Source : ministère de l'Écologie et du Développement durable.

Les niveaux sonores sont mesurés en décibels (dB). Le niveau de référence (0 dB) représente le seuil de perception. Le seuil de douleur se situe aux environs de 120 dB.

1. Il est impossible d'entendre un son de moins de 30 décibels. ◼ vrai ◼ faux

2. Il faut augmenter le volume de sa voix quand on dépasse un niveau sonore de 40 décibels environ. ◼ vrai ◼ faux

3. On est obligé de crier à partir d'un niveau sonore de 100 décibels environ. ◼ vrai ◼ faux

4. Entendre un bruit de 120 décibels est douloureux. ◼ vrai ◼ faux

S'EXPRIMER – ÉCRIT ✐

QUE JUSTICE SOIT FAITE !

9

Lisez la déclaration de plainte, puis rédigez sur une feuille séparée :

– la lettre écrite par les voisins à M. et Mme Caré avant le dépôt de plainte

- Vous rappelez les faits et l'historique du conflit.
- Vous insistez sur les tentatives de discussion, leur échec et le problème toujours présent.
- Vous annoncez votre décision d'aller plus loin et de porter plainte.

– la pétition adressée au maire de la ville

- Vous rappelez les faits et l'historique du conflit.
- Vous annoncez votre dépôt de plainte et l'objet de la pétition.
- Vous demandez une intervention de la mairie.

GENDARMERIE DE VIROLAY

Dépôt de plainte

✳✳✳

PROCÈS-VERBAL N° :   Date : 18 mai 2006

Plainte contre M Mme Mlle CARÉ

Demeurant : 18 rue des Acacias à Virolay

Plainte déposée par : Mme Rubio, M. Grolas, M. et Mme Savic, Mme Loriot.

Demeurant : 13 rue des Acacias, 15 rue des Acacias, 17 rue des Acacias, 19 rue des Acacias, à Virolay.

Objet de la plainte : Les trois chiens de M. et Mme Caré font quotidiennement leurs déjections devant les portails ou portes des maisons des plaignants, depuis un an. Ceux-ci ont essayé plusieurs fois de parler aux propriétaires mais n'ont pas réussi à se faire entendre. M. et Mme Caré ne reconnaissent pas la responsabilité de leurs chiens et ont toujours refusé de nettoyer.

Fait à Virolay, le 18 mai 2006

DU CÔTÉ DU **LEXIQUE**

RÈGLES ET SANCTIONS

1

Complétez le texte en choisissant dans la liste suivante. (Faites les modifications nécessaires.)

une peine d'emprisonnement – autorisé – interdit – avoir le droit – risquer une sanction – une contravention – respecter la loi – une suspension de permis

> *Éducation civique*
>
> *Pourquoi il faut connaître les règles*
>
> *Si nous connaissons les règles, nous pouvons ...., car nous savons ce qui est ...., ce que nous .... de faire. Si nous faisons des choses .... par la loi, nous .... Par exemple : on doit payer .... si on voyage sans ticket ; si on ne respecte pas les règles de conduite sur la route, on peut avoir .... Une personne qui commet un délit plus grave encore peut être condamnée à ....*

DU CÔTÉ DE LA **GRAMMAIRE**

L'INFINITIF PASSÉ POUR INDIQUER LA CAUSE

2

Associez puis formulez les décisions juridiques, comme dans l'exemple.

Exemple : Mlle J. Hamid a dû payer une contravention pour avoir circulé à vélo dans le parc du Prieuré.

Décision juridique

1. Mlle J. Hamid a dû payer une contravention.
2. M. L. Durand a été condamné à un an de suspension de permis de conduire.
3. M. T. Minaiz a eu une amende de 30 euros.
4. Mme A. Lefort a eu une contravention et deux points retirés sur son permis de conduire.
5. M. S. Linotte a été arrêté par la police puis confié à un psychiatre.

Cause

a. se promener tout nu dans les rues du centre ville de La Rochelle
b. circuler à vélo dans le parc du Prieuré
c. fumer dans le métro
d. conduire à 200 km/h sur une route départementale
e. ne pas s'arrêter au stop

2. ....
3. ....
4. ....
5. ....

LE CONDITIONNEL PASSÉ POUR INDIQUER À POSTERIORI UN ÉVÉNEMENT IMAGINÉ

3

Transformez, comme dans l'exemple.

Exemple : Ne cours pas dans l'escalier, tu as failli tomber !
➜ *Tu aurais pu tomber !*

1. Ralentis, on a failli avoir un accident !

....

2. Faites attention : avec votre sac à dos, vous avez failli casser les verres derrière vous !

....

3. Ils sont sortis sans manteau par ce froid et ils ont été gelés ! Ils ont failli tomber malades.

....

4. J'avais oublié de composter mon billet de train et j'ai failli avoir une amende ; mais, finalement, le contrôleur a été indulgent.

....

LE CONDITIONNEL PASSÉ POUR FAIRE UN REPROCHE

4

Lisez la lettre et transformez chaque raison annoncée en reproche.

Exemple : Nous avons passé les vacances dans la maison de tes parents en Corrèze.
➜ *Nous n'aurions pas dû passer les vacances dans la maison de tes parents./Nous aurions pu passer les vacances seuls.*

> *Benoît,*
>
> *Après cette année test de vie commune, j'ai décidé de ne pas t'épouser. Pour que tu comprennes pourquoi, j'ai fait la liste de toutes mes raisons :*
> — *nous avons passé les vacances dans la maison de tes parents en Corrèze ;*
> — *nous n'avons pas fait de voyage à l'étranger ;*
> — *tu n'es jamais rentré de ton travail avant 20 heures ;*
> — *nous sommes allés déjeuner chez tes parents un dimanche sur deux ;*
> — *ton frère ne m'a jamais adressé la parole ;*
> — *il a refusé de nous prêter son appartement à la montagne ;*
> — *tu as oublié la date de mon anniversaire ;*
> — *tu as regardé tous les matchs de foot du samedi soir avec tes copains ;*
> — *nous sommes allés au restaurant une seule fois ;*
> — *tu n'as jamais pris l'initiative de participer au ménage dans l'appartement.*
> *Réfléchis et, si tu retombes amoureux, n'oublie pas notre expérience ! Bonne chance !*
>
> *Camille*

....

....

....

....

....

....

....

....

DU CÔTÉ DE LA **COMMUNICATION**

EXPRIMER SON INDIGNATION

5

Imaginez les réactions des personnages pour chaque situation ci-dessous.

1. Dans le bus, une femme monte avec un bébé dans les bras et des sacs à la main. Deux hommes assis la regardent et ne bougent pas. ➡ Réactions de deux voyageuses debout.

....

2. Sur un parking plein, un conducteur va se garer sur la dernière place libre ; une autre voiture arrive, le conducteur n° 2 passe devant et prend la place. ➡ Réaction du conducteur n° 1.

....

3. Un homme sort d'un magasin en courant et renverse presque un couple qui marchait sur le trottoir.
➡ Réaction du couple.

....

FAIRE UN REPROCHE

6

Observez les dessins et imaginez les reproches des personnages dans les bulles.

1. ....

2. ....

3. ....

COMPRENDRE – ÉCRIT 👁

IMAGINEZ !

7

Le nouveau gouvernement de votre pays est radicalement écologiste. Dans un communiqué de presse, le Conseil des ministres annonce les décisions prises dans le domaine de l'environnement.
Imaginez les mesures (obligations, interdictions, devoirs) et les sanctions prévues en cas de non-respect.

Vous pouvez penser aux domaines suivants :
– les énergies utilisées et la consommation d'énergie ;
– la consommation de l'eau ;
– la protection des forêts et milieux naturels ;
– le tri des déchets ;
– l'utilisation des voitures privées et des transports en commun…

Communiqué de presse

Le Conseil des ministres annonce les mesures prises pour protéger l'environnement et changer les comportements des citoyens.

1. ....
2. ....
3. ....
4. ....
5. ....
6. ....
7. ....
8. ....
9. ....
10. ....

LA DÉMOCRATIE DANS LA VILLE

1

Dans un processus de concertation de la population, indiquez l'ordre des étapes suivantes.

...... **a.** lancer une concertation

...... **b.** prendre les décisions finales

...... **c.** tenir une réunion publique

...... **d.** élaborer un projet

...... **e.** mener des débats

...... **f.** informer sur le projet

...... **g.** rédiger des comptes rendus

RAPPORTER UN POINT DE VUE

2

Complétez le compte rendu avec les adjectifs suivants.

favorable(s) − accepté(e)(s) − rejeté(e)(s) − apprécié(e)(s) − opposé(e)(s) − controversé(e)(s)

1. La proposition n° 1 a été très ...., la majorité des personnes l'ont trouvée intéressante.

2. La proposition n° 2, au contraire, n'a pas eu beaucoup de succès : les participants y sont en général

....

3. Pour la suivante, grand enthousiasme : tout le monde était .... à la proposition n° 3

qui a été immédiatement ....

4. 80 % des participants étaient contre la proposition n° 4 ; elle a donc été ....

5. La proposition n° 5 a provoqué beaucoup de discussions, elle est très ....

LA MUSIQUE ÉLECTRONIQUE ET LA FÊTE

3

Classez les mots et expressions suivants dans le tableau.

un disc-jockey − une superambiance − faire la fête − un parcours −
la scène musicale − un défilé − la techno − une parade − les chars

La musique électronique	La fête
....	....
....	....
....	....
....	....
....	....
'	

LES EXPRESSIONS D'OPPOSITION/DE CONCESSION POUR EXPRIMER DES RÉSERVES

4

Associez les arguments puis reconstituez les commentaires critiques, comme dans l'exemple.

Exemple : Il s'agit dans ce roman d'une pure fiction, tout est imaginé par l'auteur. Pourtant/Cependant, la plupart des lecteurs affirment qu'ils sont prêts à croire cette histoire vraie.

1. Il s'agit dans ce roman d'une pure fiction, tout est imaginé par l'auteur.

2. Le choix des acteurs est excellent.

3. Le scénario manque d'originalité.

4. On a déjà mentionné pour ce nouveau roman de F. Vargas la qualité de l'intrigue, et je partage ce jugement.

5. Le rythme est un peu lent, on trouve quelques maladresses techniques de réalisateur débutant.

a. C'est l'écriture qui en est la qualité première.

b. Ce premier film mérite d'être salué pour le choix du sujet.

c. Grâce à la mise en scène, on oublie vite l'impression de déjà-vu.

d. La plupart des lecteurs affirment qu'ils sont prêts à croire cette histoire vraie.

e. Leur qualité de jeu ne suffit pas à rendre le film passionnant.

2. ....
....
....

3. ....
....
....

4. ....
....
....

5. ....
....
....

5

a) Transformez en utilisant *malgré*, comme dans l'exemple.

Exemple : La municipalité a décidé de rendre le centre ville piétonnier le week-end. Tous les commerçants y sont opposés.
➜ La municipalité a décidé de rendre le centre ville piétonnier le week-end malgré l'opposition de tous les commerçants.

Décisions difficiles

1. L'ancienne gare présente un intérêt architectural incontestable. Cependant, le conseil municipal a décidé de la détruire.

....

2. Le conseil culturel met fin au festival du film d'aventures à cause de problèmes financiers. Pourtant, le festival connaît chaque année un succès grandissant.

....

3. La municipalité manque d'argent. Pourtant, les habitants refusent de payer plus d'impôts.

....

4. Les prévisions météo sont mauvaises, mais le comité de quartier a décidé de maintenir la fête.

....

b) Reformulez en utilisant *bien que*, comme dans l'exemple.

Exemple : Les gens ne vont pas toujours aux réunions d'information, mais ils veulent connaître les projets de la municipalité pour leur ville.

→ Bien que les gens n'aillent pas toujours aux réunions d'information, ils veulent connaître les projets de la municipalité pour leur ville.

1. Je suis tout à fait d'accord avec vous sur le premier point, mais je ne partage absolument pas votre opinion sur les suivants.

....

2. Le projet d'élargissement de l'avenue de la République ne fait pas l'unanimité, mais le maire a décidé que ce sont des travaux prioritaires.

....

3. Nous savons qu'il est difficile de changer les habitudes, mais nous essayons de faire progresser les comportements par des mesures concrètes et simples.

....

4. Vous n'exprimez pas toujours votre opinion pendant les réunions mais, en général, vous êtes d'accord avec les décisions prises, n'est-ce pas ?

....

5. La majorité des habitants sont favorables aux conseils de quartier mais peu y participent.

....

DU CÔTÉ DE LA **COMMUNICATION**

DONNER SON POINT DE VUE SUR UN SUJET POLÉMIQUE/RÉAGIR

6

Choisissez les expressions qui conviennent pour compléter le dialogue.

LE JOURNALISTE : Nous nous retrouvons ce soir pour notre minute de débat. Le thème aujourd'hui : faut-il qu'une loi permette

l'ouverture des supermarchés tous les dimanches ? Avec nous, ce soir, M. Pandit, de la Fédération des supermarchés,

favorable à l'ouverture, et face à lui, Mme Capri, du magazine *Familles*.

M. PANDIT : Moi, bien sûr, je .... (suis opposé – suis pour – suis contre – suis d'accord)

l'ouverture des magasins le dimanche. Il faut penser au nouveau rythme de vie, aux gens qui travaillent du lundi

au samedi…

MME CAPRI : Ah non ! Vous .... (exagérez – ne vous rendez pas compte – vous vous rendez

compte – mentez) ! Justement, parlons des familles ! Et de la journée du dimanche ! Le dimanche est le seul jour où les

familles peuvent être réunies et profiter d'un temps de loisir ! Voilà pourquoi je ....

(suis intéressée par – suis favorable – suis contre – suis pour) l'ouverture le dimanche.

M. PANDIT : Mais bien sûr, madame, je .... (suis avec vous – suis contre vous – suis pour

vous – suis d'accord avec vous), les familles sont ensemble le dimanche. Alors, elles veulent peut-être en profiter pour

faire des achats ensemble ! Voilà pourquoi je .... (suis opposé à – suis favorable à –

participe à – suis concerné par) une loi plus souple, qui donne la liberté à chacun de fréquenter ou non les magasins

le dimanche.

MME CAPRI : Eh bien, moi, monsieur, je .... (m'y habitue – m'y consacre – y renonce –

m'y oppose) ! Et mon magazine sera toujours actif pour défendre le droit à la détente et aux journées en famille.

COMPRENDRE – ÉCRIT ⊚

POUR OU CONTRE ?

7

Lisez les déclarations suivantes extraites d'un forum de discussion.

> **1.** Plus de 75 % des Français sont favorables à la réintroduction des ours dans les montagnes des Pyrénées.
> **2.** Il y a suffisamment d'ours dans l'hémisphère nord !
> **3.** On a peur pour nos moutons, et encore plus pour nos enfants !
> **4.** C'est une mine d'or pour le tourisme local.
> **5.** L'ours n'est responsable que de 1 % des pertes des éleveurs.
> **6.** Chaque pays est responsable de la nature qu'il a reçue en héritage.
> **7.** C'est un gâchis financier, il faut payer le transport des bêtes importées de Slovénie.
> **8.** On remplace simplement les ours qui ont disparu ces dernières années dans les Pyrénées à cause de la chasse.
> **9.** Les décideurs de la ville ne connaissent rien à la montagne, ils pratiquent une écologie de salon !

a) Identifiez le thème du jour.

- ■ **a.** L'introduction d'ours des Pyrénées en Slovénie.
- ■ **b.** L'importation d'ours venus de Slovénie dans les montagnes des Pyrénées.
- ■ **c.** La disparition des ours dans les montagnes des Pyrénées.
- ■ **d.** La sauvegarde des ours en Slovénie.

b) Classez les déclarations, favorables ou opposées à la présence des ours, puis identifiez la nature de l'argument (écologique, économique, etc.).

Pour la présence des ours : ....

Contre la présence des ours : ....

1. ....

2. ....

3. ....

4. ....

5. ....

6. ....

7. ....

8. ....

9. ....

S'EXPRIMER – ÉCRIT ⊘

POUR OU CONTRE ? (SUITE)

8

Vous êtes journaliste au magazine *Écolomag*. Sur une feuille séparée, vous rédigez un article sur la polémique concernant la réintroduction des ours dans les Pyrénées.

- • Vous rappelez le sujet.
- • Vous faites une brève synthèse des opinions contrastées. (Aidez-vous des déclarations dans le forum de discussion.)

> POURQUOI TANT DE PASSION POUR CINQ PETITS OURS BRUNS ?

DU CÔTÉ DU LEXIQUE

INTERNET

1

Complétez l'article avec les mots suivants. (Certains mots sont utilisés plusieurs fois.)

écran(s) – se connecter – chatter – toile(s) – fichier(s) – réseau(x) – web – internaute(s)

VOS ENFANTS ET INTERNET

.... sur Internet, les ados et même les préados adorent ! À peine rentrés du collège, ils se précipitent dans leur chambre et commencent leur existence virtuelle : une seconde vie pour ces jeunes ....

D'après les derniers chiffres de Médiamétrie de janvier 2006, 60 % des 13-17 ans ont pris l'habitude de .... à Internet tous les jours. Le .... ? Ils s'y rendent pour ...., donc retrouver les copains qu'ils viennent de quitter, s'échanger des .... remplis d'infos audio ou vidéo. Les parents ? 72 % d'entre eux déclarent ne pas savoir ce que leurs enfants font sur la .... « *Il passe des heures devant l'..........................., il me dit qu'il participe à des jeux en .... ; j'ai peut-être tort mais, comme il reste dans sa chambre, je ne suis pas inquiète* », dit Brigitte, mère d'un ado de 14 ans.

DU CÔTÉ DE LA GRAMMAIRE

LE SUBJONCTIF DANS L'EXPRESSION DU JUGEMENT

2

Pour chaque titre de presse, imaginez une réaction positive et une réaction négative de lecteurs. Utilisez les expressions suivantes.

je trouve… que – c'est… que – ça me désole/réjouit que – ça me semble… que

1. Fortes pluies attendues pour le prochain week-end

....

....

2. Construction d'une nouvelle centrale nucléaire dans le Rhône

....

....

3. La Journée de la femme devient la Semaine de la femme.

....

....

4. De moins en moins de places de parking en centre ville

....

....

5. Démission du Premier ministre

....

....

6. Augmentation du prix de l'essence

....

....

7. Réintroduction de l'ours dans les montagnes pyrénéennes

....

....

FAIRE DES RECOMMANDATIONS ET DES MISES EN GARDE

3

Complétez les messages avec les verbes suivants à l'impératif ou les expressions suivantes. (Faites les modifications nécessaires.)

il est essentiel/urgent/impératif de/que – mieux vaut/il vaut mieux – rien ne vaut – se méfier de – éviter (de) – choisir – éteindre

Pour une écologie raisonnée

1. .... économiser l'eau, pour cela .... faire couler 50 litres d'eau pour un bain, ... prendre une douche qui n'en consomme que 20.

2. .... vous contrôliez votre consommation d'électricité. .... laisser les lumières allumées, ... toutes les lampes.

3. .... savoir ce que vous mangez réellement : .... consommer des aliments qui contiennent des substances chimiques mais .... plutôt des aliments bio.

4. .... destinations lointaines pour vos vacances : un aller-retour Paris-New York produit autant de CO_2 qu'une voiture pendant un an. Pour vos déplacements, ... prendre les transports en commun !

5. .... l'accumulation de sacs en plastique : pour faire vos courses, ... un grand cabas.

DU CÔTÉ DE LA **COMMUNICATION**

EXPRIMER UN JUGEMENT

4

Vous découvrez le carnet de notes de votre fils/petit frère. Réagissez à chacune des notes et/ou commentaires des enseignants.

CARNET
DE
NOTES

Grognard
Alban

4ᵉC

MOIS DE FÉVRIER

Mathématiques	8 /20	Insuffisant
Français	18/20	TB
Histoire/Géo	6 /20	*Résultats en baisse, attention !*
Anglais	17/20	*Résultats très satisfaisants !*
Sciences naturelles	9,5/20	***Des efforts à faire.***
Conduite	0 /20	*Élève très indiscipliné !*

....

....

....

....

....

....

COMPRENDRE – ÉCRIT ⊚

INTERNET SANS DANGER

5

Lisez l'article et choisissez l'information correcte. Justifiez vos réponses.

L'école du Net

« Quand je réussis un exercice, j'ai vert et je peux continuer. Sinon, j'ai rouge, il faut que je recommence. Ou je demande de l'aide »... à l'ordinateur. L'année dernière, Cédric détestait les maths mais, à présent, grâce à Internet, il adore et, deux à trois fois par semaine, il vient en salle d'informatique de son collège et utilise Paraschool. « Ce logiciel propose du soutien personnalisé particulièrement efficace pour les moins bons, qui peuvent aller à leur rythme, seuls devant leur écran. Là, ils n'ont pas peur de se tromper, alors qu'en classe ils n'osent pas prendre la parole », déclare le professeur de mathématiques.

La France aborde à petits pas la pédagogie par Internet, et Paraschool – leader du marché – assure l'assistance scolaire en ligne dans plus de 700 établissements scolaires. Juliette, douze ans, a été inscrite, elle, par ses parents parce qu'il n'y a pas d'Internet dans son collège. « Paraschool nous coûte 16 euros par mois, c'est moins cher que des petits cours et elle peut travailler autant qu'elle veut et, toutes les semaines, je reçois un compte rendu du travail fait et des conseils sur la méthode à suivre », dit sa mère.

L'avenir du soutien scolaire passerait-il par le Net ? En tout cas, l'Éducation nationale prend l'hypothèse au sérieux. Une enquête a montré que cette aide en ligne est efficace pour les élèves les plus faibles. Ceux qui l'ont utilisée ont progressé d'au moins 45 % en maths (contre 36 % pour les non-utilisateurs).

D'après Le Nouvel Observateur,
5 janvier 2006.
Caroline Brizart.

1. Paraschool est le nom

▪ **a.** d'un collège virtuel.

▪ **b.** du site d'une association de professeurs.

▪ **c.** d'un service sur Internet.

....

2. Paraschool propose

▪ **a.** du soutien scolaire.

▪ **b.** des programmes scolaires.

▪ **c.** des documents pédagogiques pour les professeurs.

....

3. Paraschool convient pour

   ☐ **a.** tous les élèves.

   ☐ **b.** les élèves surdoués.

   ☐ **c.** les élèves en difficulté scolaire.

....

4. Pour étudier avec Paraschool,

   ☐ **a.** un professeur est nécessaire.

   ☐ **b.** l'élève travaille seul.

   ☐ **c.** l'élève travaille avec ses parents.

....

5. L'article évoque une aide

   ☐ **a.** dans toutes les matières.

   ☐ **b.** en mathématiques.

   ☐ **c.** en informatique.

....

S'EXPRIMER – ÉCRIT ✎

PARIS EN TOUTE SÉCURITÉ

6

La ville de Paris informe les touristes sur les dangers de la capitale. Sur une feuille séparée, rédigez le texte diffusé sur son site Internet.

- Évoquez les dangers (présence de pickpockets, risques d'agressions diverses).
- Faites des recommandations concernant la tenue vestimentaire, les attitudes à adopter, les lieux, les horaires à éviter.

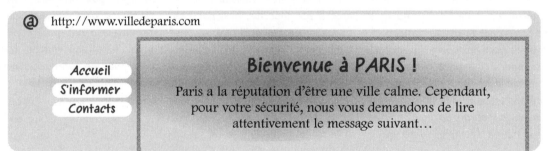

@ http://www.villedeparis.com

Accueil
S'informer
Contacts

Bienvenue à PARIS !

Paris a la réputation d'être une ville calme. Cependant, pour votre sécurité, nous vous demandons de lire attentivement le message suivant…

LES FONCTIONS DES MOBILES

1

Associez les éléments. (Plusieurs réponses sont parfois possibles.)

1. appeler
2. télécharger
3. téléphoner à
4. photographier
5. recevoir
6. parler à
7. envoyer
8. dialoguer avec
9. enregistrer
10. répondre à
11. écouter

a. de la musique
b. une personne
c. un message
d. des images
e. un texto

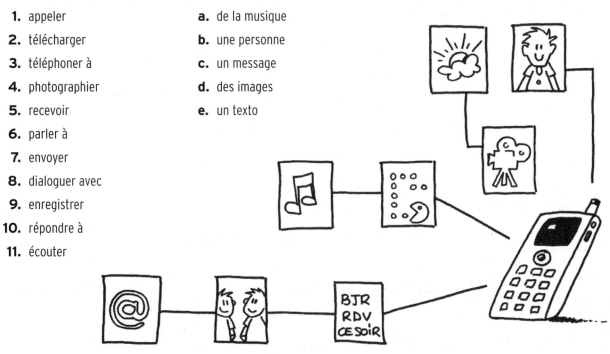

DU CÔTÉ DE LA **GRAMMAIRE**

LES PRONOMS INTERROGATIFS

2

Complétez avec *lequel, lesquels, laquelle* ou *lesquelles*.

Questions pour un champion

Géographie

1. Parmi les villes suivantes, ... comptent plus de 500 000 habitants ?
2. Parmi les pays suivants, ... n'a pas de frontière commune avec la France ?

Technologie

3. Parmi les innovations technologiques suivantes, ... est la plus récente ?

Médias

4. Parmi les quotidiens suivants, ... est le plus lu ?
5. Parmi les émissions télé suivantes, ... sont diffusées en soirée ?

Festival de Cannes

6. Parmi les actrices suivantes, ... a reçu le prix d'interprétation féminine l'année dernière ?
7. Parmi les films suivants, ... ont obtenu la Palme d'or ?
8. Parmi les personnalités suivantes, ... ont déjà présidé le jury du festival ?

LES PRONOMS RELATIFS COMPOSÉS

3

a) Complétez avec le pronom relatif composé qui convient.

Suivez le guide !

Mesdames, messieurs, vous voyez à présent le studio privé .... Madonna enregistrait tous ses CD.

Voici la table .... elle posait ses affaires et ici le micro .... elle chantait.

Et puis, sur les grandes photos au mur, vous pouvez découvrir la maison .... elle a passé toute

son enfance, les copains .... elle jouait. Sur cette autre photo, on voit Madonna montrant

son premier CD, ... elle avait obtenu le grand prix de la musique.

b) Complétez les phrases en donnant une précision sur ces différents lieux et objets.

La visite continue !

À l'extérieur vous verrez :

– la piscine ....

– la chaise longue ....

– un peu plus loin, le jardin ....

– les caméras de surveillance ....

4

a) Transformez, comme dans l'exemple.

Exemple : C'est un portable pour téléphoner dans l'eau.
➜ *C'est un portable grâce auquel/avec lequel vous pouvez téléphoner dans l'eau.*

Innovations insolites

1. Ce sont des lunettes pour voir la nuit.

....

2. Ce sont des chaussures à moteur pour se déplacer sans fatigue.

....

3. C'est une paire de ciseaux pour couper les métaux.

....

4. C'est un macro-parasol pour protéger votre maison et votre jardin du soleil.

....

5. C'est un tissu invisible pour habiller les nudistes.

....

6. C'est un vélo pour monter les escaliers.

....

b) Transformez pour obtenir une seule phrase à chaque fois.

1. C'est une découverte médicale ; les chercheurs s'y intéressent.

....

2. C'est un projet de voyage spatial ; les scientifiques y réfléchissent sérieusement.

....

3. Ce sont des projets éducatifs ; la Commission européenne y travaille.

....

LES PRONOMS POSSESSIFS

5

Complétez avec le pronom possessif qui convient.

Entre voisins

1. – Oh ! Il pleut et j'ai oublié mon parapluie.

– Ça ne fait rien, je peux vous prêter ....

2. – On ne peut pas sortir ce soir, je n'ai pas pu laisser mon fils à ma voisine parce que .... était malade.

– Dommage !

3. – Les Martin ont changé de voiture ?

– Non mais .... est en panne et le garage leur en a prêté une en attendant.

4. – J'ai trouvé ces clés dans le couloir et je me suis dit que c'étaient peut-être ....

– Non, ... je les ai dans ma poche, mais c'est très gentil de votre part, M. Ramirez.

5. – Je suis très embêté, je ne pourrai pas voir le foot ce soir, ma télé est en panne !

– Mais .... marche très bien ! Alors venez voir le match chez nous, ça nous fera plaisir.

6. – Liza, j'ai pris mon courrier et j'ai pensé à toi : voilà .... aussi.

– Merci, tu es sympa !

7. – Mon mari et moi, on admire vos fleurs, Mme Dubois, elles sont bien plus belles que .... !

– Mais .... sont très belles aussi !

DU CÔTÉ DE LA **COMMUNICATION**

PRÉSENTER UNE INNOVATION

6

Vous présentez ce modèle de chaussure « intelligente » au Salon des innovations technologiques. Répondez aux questions de la journaliste. (Aidez-vous du message informatif suivant.)

SPÉCIAL ESPIONS

Le chausseur HASLEY vient d'inventer la chaussure « intelligente » !

Cette merveille contient une puce GPS dans le talon qui vous permet de visualiser sur votre ordinateur portable les chemins que la personne a suivis dans la journée. Cette innovation s'adresse aussi bien aux parents angoissés qu'aux maris jaloux... Un projet est en cours pour placer la puce sur des vêtements...

LA JOURNALISTE : Vous pouvez nous expliquer ce que cette chaussure a de spécial ?

VOUS : ....

....

LA JOURNALISTE : Comment est-on informé des déplacements de la personne ?

VOUS : ....

....

LA JOURNALISTE : Quel public est susceptible d'être intéressé par cette innovation ?

VOUS : ....

....

LA JOURNALISTE : Ce système n'existe que pour les chaussures ?

VOUS : ....

....

COMPRENDRE – ÉCRIT 👁

ON N'ARRÊTE PAS LE PROGRÈS

7

Vrai ou faux ? Lisez l'article et répondez.

La vie coachée par SMS

Votre coach est sur portable. Il vous envoie des messages pour vous aider.

Le SMS tombe au réveil. « *Aujourd'hui, osez tout simplement dire bonjour à trois inconnus.* » À midi, vous en recevez un autre : « *Au restaurant, osez refuser cette table qui ne vous plaît pas.* » Qui vous envoie de tels messages ? L'explication : vous êtes abonné au programme m-coaching, option « Être plus sûr de soi », lancé par l'opérateur téléphonique Orange depuis quelques mois. Puisque les coachs sont partout, chez les stars comme chez les anonymes, pourquoi ne pas en prendre un… par SMS ? À 0,35 € le SMS pour une vingtaine de messages par mois, l'opération est rentable pour Orange et ses partenaires.

D'autres options sont proposées telles que « s'arrêter de fumer » ou bien encore « mieux manger », avec Danone. L'opérateur a encore des projets : « apprendre les langues » avec le magazine *Vocable* et même un de culture générale avec Larousse ! Mais la vie en SMS a ses limites : les éditions Hatier ont abandonné leur programme de révisions du bac lancé en juin dernier faute d'abonnés…

D'après *Le Nouvel Observateur*,
20 octobre 2005.
Arnaud Gonzague.

1. Orange propose différents programmes de soutien par SMS. ▨ vrai ▨ faux

2. L'abonnement coûte environ 50 € par mois. ▨ vrai ▨ faux

3. Il existe un programme pour vaincre sa timidité. ▨ vrai ▨ faux

4. « Réviser son bac » est l'option la plus demandée. ▨ vrai ▨ faux

S'EXPRIMER – ÉCRIT ✏

ON N'ARRÊTE PAS LE PROGRÈS (SUITE)

8

Sur une feuille séparée, rédigez l'article de presse ci-dessous. Aidez-vous de l'article précédent.

- Présentez le concept général de m-coaching : fonctionnement, prix…
- Donnez des précisions sur son programme « s'arrêter de fumer » : nature/fréquence des messages envoyés…
- Annoncez la sortie d'autres programmes : s'arrêter de boire, être plus/mieux…

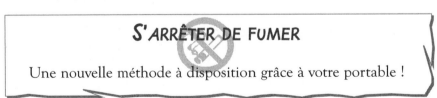

S'ARRÊTER DE FUMER

Une nouvelle méthode à disposition grâce à votre portable !

DU CÔTÉ DU **LEXIQUE**

ÉCRIRE

1

Trouvez l'intrus.

écrire – rédiger – lire – noter – souligner – signer

2

Classez les éléments de texte suivants du plus grand au plus petit.

ponctuation – expression – paragraphe – chapitre – mot – phrase

....

3

Complétez la grille à l'aide des définitions.

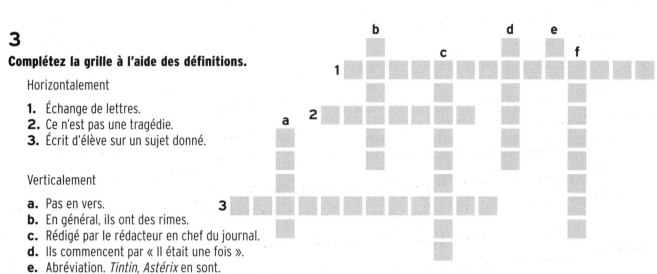

Horizontalement

1. Échange de lettres.
2. Ce n'est pas une tragédie.
3. Écrit d'élève sur un sujet donné.

Verticalement

a. Pas en vers.
b. En général, ils ont des rimes.
c. Rédigé par le rédacteur en chef du journal.
d. Ils commencent par « Il était une fois ».
e. Abréviation. *Tintin, Astérix* en sont.
f. On les trouve dans les journaux et magazines.

DU CÔTÉ DE LA **COMMUNICATION**

S'INFORMER SUR LE FONCTIONNEMENT D'UN SERVICE

4

Trouvez les questions.

@ http://www.bookcrossing.com

– .... ?

— Le Bookcrossing est un grand club de lecture qui n'a aucune limite géographique et qui est basé sur l'échange de livres.

– .... ?

— C'est très simple : après avoir lu un bon livre, vous enregistrez le livre (avec vos commentaires) sur notre site et vous obtenez un code unique (BCID). Vous collez une étiquette avec ce numéro sur votre livre, ainsi que l'adresse de notre site, et vous abandonnez le livre afin que quelqu'un le lise à son tour : vous pouvez le laisser sur un banc public, dans un café, l'« oublier » dans le métro, etc.

Accueil
S'informer
Contacts
FAQ

– .... ?

— Vous êtes prévenu par mél chaque fois que quelqu'un vient ici enregistrer un commentaire sur ce livre.

COMPRENDRE – ÉCRIT ◉

QUI A ÉCRIT QUOI ?

5

Voici six extraits d'œuvres d'écrivains français très célèbres. Ils ont vécu respectivement aux xvie siècle (un écrivain), xviie siècle (un écrivain), xviiie siècle (un écrivain), xixe siècle (un écrivain) et xxe siècle (deux écrivains).

Lisez chaque extrait.

a.

SGANARELLE. – Est-ce là la malade ?

GÉRONTE. – Oui, je n'ai qu'elle de fille ; et j'aurais tous les regrets du monde si elle venait à mourir.

SGANARELLE. – Qu'elle s'en garde bien ! il ne faut pas qu'elle meure sans l'ordonnance du médecin.

GÉRONTE. – Allons, un siège.

SGANARELLE. – Voilà une malade qui n'est pas tant dégoûtante, et je tiens qu'un homme bien sain s'en accommoderait assez.

GÉRONTE. – Vous l'avez fait rire, Monsieur.

SGANARELLE. – Tant mieux : lorsque le médecin fait rire le malade, c'est le meilleur signe du monde. *(À Lucinde.)* Eh bien ! de quoi est-il question ? qu'avez-vous ? quel est le mal que vous sentez ?

LUCINDE répond par signes, en portant sa main à sa bouche, à sa tête et sous son menton. – Han, hi, hom han.

SGANARELLE. – Eh ! que dites-vous ?

b.

Je conçois dans l'espèce humaine deux sortes d'inégalités ; l'une que j'appelle naturelle ou physique, parce qu'elle est établie par la nature, et qui consiste dans la différence des âges, de la santé, des forces du corps et des qualités de l'esprit ou de l'âme, l'autre qu'on peut appeler inégalité morale ou politique, parce qu'elle dépend d'une sorte de convention, et qu'elle est établie, ou du moins autorisée par le consentement des hommes. Celle-ci consiste dans les différents privilèges, dont quelques-uns jouissent, au préjudice des autres, comme d'être plus riches, plus honorés, plus puissants qu'eux, ou même de s'en faire obéir.

c.

Et tout d'un coup le souvenir m'est apparu. Ce goût, c'était celui du petit morceau de madeleine que le dimanche matin à Combray (parce que ce jour-là je ne sortais pas avant l'heure de la messe), quand j'allais lui dire bonjour dans sa chambre, ma tante Léonie m'offrait après l'avoir trempé dans son infusion de thé ou de tilleul. La vue de la petite madeleine ne m'avait rien rappelé avant que je n'y eusse goûté ; peut-être parce que, en ayant souvent aperçu depuis, sans en manger, sur les tablettes des pâtissiers, leur image avait quitté ces jours de Combray pour se lier à d'autres plus récents ; peut-être parce que, de ces souvenirs abandonnés si longtemps hors de la mémoire, rien ne survivait, tout s'était désagrégé ; les formes – et celle aussi du petit coquillage de pâtisserie, si grassement sensuel sous son plissage sévère et dévot – s'étaient abolies, ou, ensommeillées, avaient perdu la force d'expansion qui leur eût permis de rejoindre la conscience.

d.

Mignonne, allons voir si la rose
Qui ce matin avait déclose
Sa robe de pourpre au soleil,
A point perdu cette vesprée
Les plis de sa robe pourprée,
Et son teint au vôtre pareil.

Las ! voyez comme en peu d'espace,
Mignonne, elle a dessus la place,
Las ! las ses beautés laissé choir !
Ô vraiment marâtre Nature,
Puisqu'une telle fleur ne dure
Que du matin jusques au soir !

Donc, si vous me croyez, mignonne,
Tandis que votre âge fleuronne
En sa plus verte nouveauté,
Cueillez, cueillez votre jeunesse :
Comme à cette fleur, la vieillesse
Fera ternir votre beauté.

e.

Oh ! combien de marins, combien de capitaines
Qui sont partis joyeux pour des courses lointaines,
Dans ce morne horizon se sont évanouis !
Combien ont disparu, dure et triste fortune !
Dans une mer sans fond, par une nuit sans lune,
Sous l'aveugle océan à jamais enfouis !

Combien de patrons morts avec leurs équipages !
L'ouragan de leur vie a pris toutes les pages,
Et d'un souffle il a tout dispersé sur les flots !
Nul ne saura leur fin dans l'abîme plongée.
Chaque vague en passant d'un butin s'est chargée ;
L'une a saisi l'esquif, l'autre les matelots !

f.

> Le soir, Marie est venue me chercher et m'a demandé si je voulais me marier avec elle. J'ai dit que cela m'était égal et que nous pourrions le faire si elle le voulait. Elle a voulu savoir alors si je l'aimais. J'ai répondu comme je l'avais déjà fait une fois, que cela ne signifiait rien mais que sans doute je ne l'aimais pas. « Pourquoi m'épouser alors ? » a-t-elle dit. Je lui ai expliqué que cela n'avait aucune importance et que si elle le désirait, nous pouvions nous marier. D'ailleurs, c'était elle qui le demandait et moi je me contentais de dire oui. Elle a observé alors que le mariage était une chose grave. J'ai répondu : « Non. » Elle s'est tue un moment et m'a regardé en silence. Puis elle a parlé. Elle voulait simplement savoir si j'aurais accepté la même proposition venant d'une autre femme, à qui je serais attaché de la même façon. J'ai dit : « Naturellement. » Elle s'est demandé alors si elle m'aimait et moi, je ne pouvais rien savoir sur ce point. Après un autre moment de silence, elle a murmuré que j'étais bizarre, qu'elle m'aimait sans doute à cause de cela mais que peut-être un jour je la dégoûterais pour les mêmes raisons. Comme je me taisais, n'ayant rien à ajouter, elle m'a pris le bras en souriant et elle a déclaré qu'elle voulait se marier avec moi.

a) Identifiez les différents types d'écrit.

a. .... d. ....

b. .... e. ....

c. .... f. ....

b) En fonction du style, essayez de classer les extraits du plus ancien au plus moderne.

...... **a.** ...... **b.** ...... **c.** ...... **d.** ...... **e.** ...... **f.**

c) Identifiez pour chaque extrait le thème qui est développé.

a. ....

b. ....

c. ....

d. ....

e. ....

f. ....

d) Faites correspondre auteurs et extraits.

...... XVIe siècle : Ronsard (1524-1585), poète.

...... XVIIe siècle : Molière (1622-1673), auteur de pièces de théâtre et acteur.

...... XVIIIe siècle : Jean-Jacques Rousseau (1712-1778), écrivain et philosophe.

...... XIXe siècle : Victor Hugo (1802-1885), poète, romancier, essayiste, écrivain de théâtre et homme politique.

...... XXe siècle : Marcel Proust (1871-1922), écrivain, auteur d'*À la recherche du temps perdu*, monument de la littérature composé de sept romans.

...... XXe siècle : Albert Camus (1913-1960), écrivain, auteur de romans, de pièces de théâtre et d'essais.

S'EXPRIMER – ÉCRIT

IMITATIONS

6

Sur une feuille séparée, imaginez une suite au récit d'Albert Camus. Rédigez à la manière de l'auteur.

Le jour de notre mariage, Marie...

PORTFOLIO

	À L'ORAL		À L'ÉCRIT	
	Acquis	En cours d'acquisition	Acquis	En cours d'acquisition

DOSSIER 1

Je peux comprendre

– un questionnaire, un test psychologique	▪	▪	▪	▪
– un échange sur les relations amicales	▪	▪	▪	▪
– la description du caractère d'une personne	▪	▪	▪	▪
– l'identification, la définition de qualités et de défauts	▪	▪	▪	▪
– une définition	▪	▪	▪	▪
– quelqu'un qui rend hommage à quelqu'un	▪	▪	▪	▪
– un témoignage oral et écrit	▪	▪	▪	▪
❋				
– la description de relations de voisinage	▪	▪	▪	▪
– quelqu'un qui rapporte des paroles	▪	▪	▪	▪
– le récit d'un événement passé	▪	▪	▪	▪
– les réactions positives ou négatives à un événement/une situation	▪	▪	▪	▪
– un court article de presse	▪	▪	▪	▪
– l'évocation de changements	▪	▪	▪	▪
– l'expression du mécontentement	▪	▪	▪	▪
– des comparaisons	▪	▪	▪	▪
– quelqu'un qui donne ses impressions, son avis	▪	▪	▪	▪
❋				
– quelqu'un qui raconte une rencontre amoureuse	▪	▪	▪	▪
– quelqu'un qui raconte les circonstances et les suites d'une rencontre	▪	▪	▪	▪
– une interview, un échange dans une émission radiophonique	▪	▪	▪	▪
– la chronologie d'une histoire	▪	▪	▪	▪
– l'évocation d'un souvenir	▪	▪	▪	▪
❋				
– une courte présentation de film	▪	▪	▪	▪

Je peux m'exprimer et interagir

– m'exprimer sur une relation amicale	▪	▪	▪	▪
– m'exprimer sur des qualités et des défauts	▪	▪	▪	▪
– décrire le caractère d'une personne	▪	▪	▪	▪
– présenter, parler d'une personnalité	▪	▪	▪	▪
– donner une définition	▪	▪	▪	▪
– rendre hommage à quelqu'un	▪	▪	▪	▪
❋				
– m'exprimer sur mes relations de voisinage	▪	▪	▪	▪
– rapporter les paroles de quelqu'un	▪	▪	▪	▪
– raconter un événement passé	▪	▪	▪	▪
– réagir positivement ou négativement à un événement/une situation	▪	▪	▪	▪
– faire des hypothèses sur une situation et les vérifier	▪	▪	▪	▪
– évoquer des changements	▪	▪	▪	▪
– faire des comparaisons	▪	▪	▪	▪

	À L'ORAL		À L'ÉCRIT	
	Acquis	En cours d'acquisition	Acquis	En cours d'acquisition
– témoigner dans un forum de discussion	■	■	■	■
– donner mes impressions, mon avis	■	■	■	■
❄				
– raconter une rencontre amoureuse	■	■	■	■
– raconter les circonstances, les suites d'une rencontre	■	■	■	■
– donner la chronologie d'une histoire	■	■	■	■
– évoquer un souvenir	■	■	■	■
❄				
– m'exprimer sur mes connaissances culturelles (chanteurs, cinéastes et écrivains) françaises	■	■	■	■

DOSSIER 2

Je peux comprendre

	À L'ORAL		À L'ÉCRIT	
	Acquis	En cours d'acquisition	Acquis	En cours d'acquisition
– une petite annonce d'offre d'emploi	■	■	■	■
– quelqu'un qui parle d'un emploi (poste, rémunération, profil du poste, horaires de travail, lieu de travail, durée de contrat)	■	■	■	■
– quelqu'un qui postule pour un job	■	■	■	■
– quelqu'un qui se présente dans une situation professionnelle	■	■	■	■
– un CV simple	■	■	■	■
– quelqu'un qui évoque sa formation, son expérience professionnelle	■	■	■	■
– les différents moments et dates évoqués dans un CV	■	■	■	■
– la présentation d'une lettre formelle	■	■	■	■
– les formules de salutation et le registre d'une lettre formelle	■	■	■	■
– une lettre de motivation simple	■	■	■	■
– quelqu'un qui parle de ses points forts et de ses points faibles	■	■	■	■
❄				
– des conseils, des recommandations et des mises en garde	■	■	■	■
– quelqu'un qui s'exprime dans un entretien d'embauche	■	■	■	■
– quelqu'un qui parle de comportements et d'attitudes	■	■	■	■
– l'expression d'un enjeu	■	■	■	■
– la différence entre une manière de parler standard et une manière de parler formelle	■	■	■	■
– des réactions positives ou négatives devant une situation	■	■	■	■
– la formulation d'une nécessité	■	■	■	■
❄				
– le récit d'expériences positives et négatives	■	■	■	■
– le récit d'un stage professionnel	■	■	■	■
– la description d'une situation passée	■	■	■	■
– des précisions sur une action passée	■	■	■	■
– l'expression d'un point de vue	■	■	■	■
– quelqu'un qui parle de sa relation au travail	■	■	■	■
❄				
– les règles d'un jeu	■	■	■	■

	À L'ORAL		À L'ÉCRIT	
	Acquis	En cours d'acquisition	Acquis	En cours d'acquisition
– le vocabulaire lié au monde du travail	▣	▣	▣	▣
– un court article, rapport d'enquête sur le travail en France	▣	▣	▣	▣

Je peux m'exprimer et interagir

	À L'ORAL		À L'ÉCRIT	
– me présenter dans une situation professionnelle	▣	▣	▣	▣
– rédiger un CV simple	▣	▣	▣	▣
– évoquer ma formation	▣	▣	▣	▣
– préciser les dates et moments évoqués dans un CV	▣	▣	▣	▣
– compléter une petite annonce d'emploi	▣	▣	▣	▣
– postuler pour un job	▣	▣	▣	▣
– présenter une lettre formelle	▣	▣	▣	▣
– utiliser les formules de salutation et le registre d'une lettre formelle	▣	▣	▣	▣
– écrire une lettre de motivation simple	▣	▣	▣	▣
– m'exprimer sur mes points forts et sur mes points faibles	▣	▣	▣	▣
❊				
– donner des conseils, des recommandations, mettre en garde	▣	▣	▣	▣
– parler de comportements et d'attitudes	▣	▣	▣	▣
– exprimer un enjeu	▣	▣	▣	▣
– m'exprimer de manière standard ou formelle	▣	▣	▣	▣
– exprimer des réactions positives ou négatives devant une situation	▣	▣	▣	▣
– formuler une nécessité	▣	▣	▣	▣
– rédiger un court rapport d'évaluation sur un comportement	▣	▣	▣	▣
❊				
– faire le récit d'expériences positives ou négatives	▣	▣	▣	▣
– raconter un stage professionnel	▣	▣	▣	▣
– témoigner sur des expériences professionnelles passées	▣	▣	▣	▣
– décrire une situation passée	▣	▣	▣	▣
– donner des précisions sur une action passée	▣	▣	▣	▣
– parler de mes activités professionnelles	▣	▣	▣	▣
– exprimer mon point de vue	▣	▣	▣	▣
– m'exprimer sur ma relation au travail	▣	▣	▣	▣
❊				
– m'exprimer sur mon expérience du bonheur au travail (ou sur celle de mes proches)	▣	▣	▣	▣
– échanger sur le travail en France et dans mon pays	▣	▣	▣	▣

DOSSIER 3

Je peux comprendre

	À L'ORAL		À L'ÉCRIT	
– la présentation d'un livre	▣	▣	▣	▣
– des informations sur l'auteur, le sujet d'un livre	▣	▣	▣	▣
– quelqu'un qui parle d'un pays et de ses habitants	▣	▣	▣	▣
– la description de stéréotypes nationaux	▣	▣	▣	▣
– la description de mentalités	▣	▣	▣	▣

	À L'ORAL		À L'ÉCRIT	
	Acquis	En cours d'acquisition	Acquis	En cours d'acquisition
– la description d'habitudes	▦	▦	▦	▦
– la description de conditions de vie	▦	▦	▦	▦
– les résultats d'un sondage	▦	▦	▦	▦
❄				
– un document touristique	▦	▦	▦	▦
– des informations sur des prestations touristiques (date, lieu, logement, programme, nourriture...)	▦	▦	▦	▦
– des informations sur un itinéraire	▦	▦	▦	▦
– des précisions sur une action	▦	▦	▦	▦
– une réservation touristique	▦	▦	▦	▦
❄				
– une étude comparative, un classement	▦	▦	▦	▦
– des informations sur la qualité de vie dans un lieu	▦	▦	▦	▦
– quelqu'un qui parle de la vie en ville	▦	▦	▦	▦
– quelqu'un qui parle des choix de lieu de vie	▦	▦	▦	▦
❄				
– quelqu'un qui parle de ses habitudes et manies en vacances	▦	▦	▦	▦
– un article sur les vacances en France et dans le monde	▦	▦	▦	▦

Je peux m'exprimer et interagir

	À L'ORAL		À L'ÉCRIT	
– m'exprimer sur un pays et ses habitants	▦	▦	▦	▦
– décrire des stéréotypes nationaux	▦	▦	▦	▦
– m'exprimer sur les mentalités nationales	▦	▦	▦	▦
– m'exprimer sur les habitudes nationales	▦	▦	▦	▦
– m'exprimer sur les conditions de vie	▦	▦	▦	▦
– comparer avec mon pays	▦	▦	▦	▦
– donner envie de faire quelque chose	▦	▦	▦	▦
❄				
– donner mon avis sur des propositions touristiques et justifier simplement	▦	▦	▦	▦
– présenter une formule touristique	▦	▦	▦	▦
– donner des informations sur des prestations touristiques	▦	▦	▦	▦
– donner des précisions sur une action	▦	▦	▦	▦
– faire une réservation touristique	▦	▦	▦	▦
❄				
– faire une étude comparative, un classement	▦	▦	▦	▦
– m'exprimer sur la vie en ville	▦	▦	▦	▦
– témoigner de mes choix de lieux de vie	▦	▦	▦	▦
❄				
– comparer les habitudes de vacances de mon pays avec celles des Français	▦	▦	▦	▦
– m'exprimer sur mes habitudes de vacances	▦	▦	▦	▦

	À L'ORAL		À L'ÉCRIT	
	Acquis	En cours d'acquisition	Acquis	En cours d'acquisition

DOSSIER 4

Je peux comprendre

	À L'ORAL		À L'ÉCRIT	
– un sommaire de journal, des rubriques de presse	▣	▣	▣	▣
– des titres de presse	▣	▣	▣	▣
– des informations données à la radio	▣	▣	▣	▣
– un programme de télévision	▣	▣	▣	▣
– quelqu'un qui donne son avis sur des émissions télévisées, un programme	▣	▣	▣	▣
❈				
– un article de fait divers	▣	▣	▣	▣
– des événements rapportés dans les médias	▣	▣	▣	▣
– les circonstances, les causes, les conséquences	▣	▣	▣	▣
– la chronologie des événements	▣	▣	▣	▣
– un avis de recherche	▣	▣	▣	▣
– un récépissé de déclaration de plainte	▣	▣	▣	▣
❈				
– la présentation d'un événement cinématographique	▣	▣	▣	▣
– la présentation d'un film	▣	▣	▣	▣
– le vocabulaire lié au cinéma	▣	▣	▣	▣
– les réactions, les appréciations, les commentaires de spectateurs	▣	▣	▣	▣
❈				
– des informations sur les magazines et les quotidiens français	▣	▣	▣	▣

Je peux m'exprimer et interagir

	À L'ORAL		À L'ÉCRIT	
– m'exprimer sur les médias (télé, radio, presse)	▣	▣	▣	▣
– m'exprimer sur mes lectures de presse	▣	▣	▣	▣
– rédiger des titres de presse	▣	▣	▣	▣
– donner mon opinion sur un programme de télévision, une émission	▣	▣	▣	▣
❈				
– raconter un fait divers (les faits, les circonstances)	▣	▣	▣	▣
– rédiger un court article de fait divers	▣	▣	▣	▣
– compléter une déclaration de plainte	▣	▣	▣	▣
– rapporter un événement	▣	▣	▣	▣
– rédiger un récépissé de la déclaration d'un témoin	▣	▣	▣	▣
❈				
– compléter la fiche technique d'un film	▣	▣	▣	▣
– rédiger le synopsis d'un film	▣	▣	▣	▣
– exprimer mes réactions, appréciations sur un film	▣	▣	▣	▣
– rédiger une courte critique de film pour un magazine	▣	▣	▣	▣
❈				
– m'exprimer sur la presse française	▣	▣	▣	▣
– créer un journal (son public, son titre, son prix...)	▣	▣	▣	▣
– discuter de sujets à traiter	▣	▣	▣	▣
– rédiger les titres et le début des articles	▣	▣	▣	▣

	À L'ORAL		À L'ÉCRIT	
	Acquis	En cours d'acquisition	Acquis	En cours d'acquisition

DOSSIER 5

Je peux comprendre

	À L'ORAL		À L'ÉCRIT	
	Acquis	En cours d'acquisition	Acquis	En cours d'acquisition
– une affiche de spectacle	▪	▪	▪	▪
– un article de présentation de spectacle	▪	▪	▪	▪
– une fiche sur la biographie, la discographie d'artiste musical	▪	▪	▪	▪
– une chanson, sa structure : couplets, refrain	▪	▪	▪	▪
– l'expression d'espoirs	▪	▪	▪	▪
– l'expression de souhaits	▪	▪	▪	▪
– des suggestions pour l'avenir	▪	▪	▪	▪
❄				
– la présentation d'organisations humanitaires	▪	▪	▪	▪
– les actions d'organisations humanitaires	▪	▪	▪	▪
– les objectifs d'organisations humanitaires	▪	▪	▪	▪
– la description d'un profil de compétences professionnelles et personnelles d'une personne	▪	▪	▪	▪
– la présentation des centres d'intérêt, des engagements d'une personne	▪	▪	▪	▪
– une invitation à agir	▪	▪	▪	▪
– quelqu'un qui expose un projet humanitaire	▪	▪	▪	▪
– quelqu'un qui parle d'une situation hypothétique	▪	▪	▪	▪
– quelqu'un qui exprime ses objectifs	▪	▪	▪	▪
– la position d'une personne (favorable ou défavorable) face à un projet	▪	▪	▪	▪
❄				
– les catégories de livres d'un catalogue	▪	▪	▪	▪
– le résumé et la présentation d'un livre	▪	▪	▪	▪
– un récit autobiographique	▪	▪	▪	▪
– un récit de voyage	▪	▪	▪	▪
– un avis sur une lecture	▪	▪	▪	▪
– la cause d'une action, d'une opinion	▪	▪	▪	▪
– la conséquence d'une action, d'une opinion	▪	▪	▪	▪
– l'accord et le désaccord	▪	▪	▪	▪
– une discussion sur une lecture	▪	▪	▪	▪
❄				
– un portrait imaginaire	▪	▪	▪	▪
– le vocabulaire sur les couleurs, les paysages, la maison, les lieux, les sentiments, les animaux, les vêtements, les saisons, les personnes	▪	▪	▪	▪
– une situation hypothétique	▪	▪	▪	▪

Je peux m'exprimer et interagir

	À L'ORAL		À L'ÉCRIT	
– exprimer un avis sur un spectacle musical, sur une chanson	▪	▪	▪	▪
– envisager l'avenir	▪	▪	▪	▪
– exprimer des souhaits, des espoirs	▪	▪	▪	▪
– faire des suggestions	▪	▪	▪	▪
– exprimer une opinion sur des souhaits et des suggestions	▪	▪	▪	▪
❄				

	À L'ORAL		À L'ÉCRIT	
	Acquis	En cours d'acquisition	Acquis	En cours d'acquisition
– m'exprimer sur mes centres d'intérêt	▧	▧	▧	▧
– m'exprimer sur des/mes engagements	▧	▧	▧	▧
– raconter une expérience de bénévolat	▧	▧	▧	▧
– exposer un projet hypothétique	▧	▧	▧	▧
– définir les actions envisagées	▧	▧	▧	▧
– exprimer le but recherché	▧	▧	▧	▧
– réagir à une situation hypothétique	▧	▧	▧	▧
– rapporter des témoignages sur une situation hypothétique	▧	▧	▧	▧
❄				
– présenter un livre	▧	▧	▧	▧
– donner mon avis sur une lecture	▧	▧	▧	▧
– justifier mes choix de lecture	▧	▧	▧	▧
– exprimer la cause pour justifier mes actions, mes choix	▧	▧	▧	▧
– exprimer la conséquence pour justifier mes actions, mes choix	▧	▧	▧	▧
– donner des arguments pour, contre	▧	▧	▧	▧
– exprimer l'accord, le désaccord	▧	▧	▧	▧
❄				
– faire un portrait imaginaire	▧	▧	▧	▧
– utiliser du vocabulaire sur les couleurs, les paysages, la maison, les lieux, les sentiments, les animaux, les vêtements, les saisons, les personnes	▧	▧	▧	▧

DOSSIER 6

Je peux comprendre

	À L'ORAL		À L'ÉCRIT	
– quelqu'un qui évoque des choix de vie	▧	▧	▧	▧
– quelqu'un qui précise les étapes d'un parcours de vie	▧	▧	▧	▧
– la description de changements de vie	▧	▧	▧	▧
– une fiche biographique	▧	▧	▧	▧
❄				
– un slogan publicitaire	▧	▧	▧	▧
– quelqu'un qui rapporte des paroles au passé	▧	▧	▧	▧
– le récit d'un événement exceptionnel, d'un exploit personnel	▧	▧	▧	▧
– l'expression de sentiments, de réactions face à un exploit	▧	▧	▧	▧
– des informations sur la féminisation des professions	▧	▧	▧	▧
– un message sur une carte postale	▧	▧	▧	▧
– des notes dans un journal intime	▧	▧	▧	▧
❄				
– des témoignages de personnes sur un événement qui a changé leur vie	▧	▧	▧	▧
– quelqu'un qui situe un événement dans un récit passé	▧	▧	▧	▧
– quelqu'un qui explique les conséquences d'un événement, d'un imprévu	▧	▧	▧	▧
– l'expression de regrets	▧	▧	▧	▧
❄				
– une bande dessinée	▧	▧	▧	▧
– quelques expressions idiomatiques imagées	▧	▧	▧	▧

	À L'ORAL		À L'ÉCRIT	
	Acquis	En cours d'acquisition	Acquis	En cours d'acquisition

Je peux m'exprimer et interagir

– m'exprimer sur mes choix de vie	▪	▪	▪	▪
– décrire les résultats d'un changement de vie	▪	▪	▪	▪
– indiquer la chronologie de deux actions	▪	▪	▪	▪
– présenter la biographie d'une personnalité	▪	▪	▪	▪
– préciser les étapes d'un parcours de vie	▪	▪	▪	▪
❄				
– rapporter des paroles au passé	▪	▪	▪	▪
– raconter un événement exceptionnel, un exploit personnel	▪	▪	▪	▪
– exprimer des sentiments et des réactions par rapport à un exploit personnel	▪	▪	▪	▪
❄				
– imaginer un passé différent	▪	▪	▪	▪
– imaginer les conséquences d'un événement, d'une situation hypothétique	▪	▪	▪	▪
– situer un événement dans un récit passé	▪	▪	▪	▪
– raconter la vie d'une personne	▪	▪	▪	▪
– exprimer des regrets	▪	▪	▪	▪
❄				
– comparer des expressions idiomatiques imagées françaises avec celles de ma langue	▪	▪	▪	▪
– parler de ma langue	▪	▪	▪	▪

DOSSIER 7

Je peux comprendre

– un manifeste, un appel à l'engagement	▪	▪	▪	▪
– le plan, l'organisation d'un écrit	▪	▪	▪	▪
– des informations sur l'environnement, l'écologie	▪	▪	▪	▪
– une incitation à agir	▪	▪	▪	▪
– des échanges d'opinion	▪	▪	▪	▪
– une prise de position sur l'environnement, l'écologie	▪	▪	▪	▪
– des slogans écologiques	▪	▪	▪	▪
❄				
– le programme d'un événement festif national	▪	▪	▪	▪
– l'historique d'un événement	▪	▪	▪	▪
– la chronologie des étapes d'un événement	▪	▪	▪	▪
– un sondage chiffré en pourcentages	▪	▪	▪	▪
– des informations sur les habitudes de lecture	▪	▪	▪	▪
– quelqu'un qui parle de ses lectures	▪	▪	▪	▪
– quelqu'un qui demande un service, une aide	▪	▪	▪	▪
– une demande de prêt d'objet	▪	▪	▪	▪
– quelqu'un qui se plaint, proteste	▪	▪	▪	▪
❄				

	À L'ORAL		À L'ÉCRIT	
	Acquis	En cours d'acquisition	Acquis	En cours d'acquisition
– un test sur une situation de société	■	■	■	■
– des informations sur l'égalité hommes/femmes	■	■	■	■
– un article sur un phénomène de société polémique	■	■	■	■
– l'expression d'opinions et de sentiments	■	■	■	■
– l'évocation de différences, de contrastes	■	■	■	■
– quelqu'un qui exprime un jugement simple	■	■	■	■
– quelqu'un qui exprime son agacement, son impatience	■	■	■	■
– quelqu'un qui exprime une critique personnelle simple	■	■	■	■
❋				
– une présentation des livres préférés des Français	■	■	■	■
– un court article sur le système éducatif français	■	■	■	■

Je peux m'exprimer et interagir

	À L'ORAL		À L'ÉCRIT	
– exprimer mon opinion sur l'environnement, l'écologie	■	■	■	■
– indiquer la nécessité d'agir	■	■	■	■
– prendre position	■	■	■	■
❋				
– raconter les étapes d'un événement	■	■	■	■
– m'exprimer sur mes habitudes de lecture	■	■	■	■
– m'exprimer sur mes lectures	■	■	■	■
– demander un service, une aide	■	■	■	■
– accepter ou refuser d'aider	■	■	■	■
❋				
– réagir et exprimer des sentiments face à un phénomène de société	■	■	■	■
– comparer des points de vue	■	■	■	■
– rédiger un court article pour témoigner sur mon opinion, mes sentiments	■	■	■	■
– évoquer des différences, des contrastes	■	■	■	■
– exprimer mon agacement, mon impatience	■	■	■	■
– critiquer simplement un comportement personnel	■	■	■	■
❋				
– retrouver le genre d'un livre	■	■	■	■
– comparer le système éducatif français avec celui de mon pays	■	■	■	■

DOSSIER 8

Je peux comprendre

	À L'ORAL		À L'ÉCRIT	
– des messages de prévention dans le domaine de la santé	■	■	■	■
– des avertissements	■	■	■	■
– des arguments	■	■	■	■
– des conséquences positives et négatives	■	■	■	■
– des informations sur la législation sur le tabac	■	■	■	■
– quelqu'un qui commente un fait de société	■	■	■	■
– une pétition, une plainte, une protestation	■	■	■	■
– quelqu'un qui réagit à une nuisance	■	■	■	■

	À L'ORAL		À L'ÉCRIT	
	Acquis	En cours d'acquisition	Acquis	En cours d'acquisition
– quelqu'un qui dénonce une situation	☐	☐	☐	☐
– une lettre formelle de plainte	☐	☐	☐	☐
❋				
– un article sur les attitudes, les comportements urbains	☐	☐	☐	☐
– la réglementation des comportements en ville	☐	☐	☐	☐
– les sanctions pour délit	☐	☐	☐	☐
– quelqu'un qui exprime sa surprise, son indignation	☐	☐	☐	☐
– les justifications des réactions de quelqu'un	☐	☐	☐	☐
– quelqu'un qui exprime un reproche	☐	☐	☐	☐
– quelqu'un qui s'excuse	☐	☐	☐	☐
❋				
– une affiche d'information sur les conseils de quartier	☐	☐	☐	☐
– un compte rendu de débats	☐	☐	☐	☐
– des projets d'aménagement de la circulation en ville	☐	☐	☐	☐
– un point de vue sur un sujet polémique	☐	☐	☐	☐
– les points principaux d'une discussion	☐	☐	☐	☐
– quelqu'un qui exprime un point de vue de manière nuancée	☐	☐	☐	☐
– quelqu'un qui exprime des réserves	☐	☐	☐	☐
– des informations sur un événement festif musical	☐	☐	☐	☐
❋				
– la présentation d'événements festifs	☐	☐	☐	☐
– des poèmes sur la ville	☐	☐	☐	☐

Je peux m'exprimer et interagir

	À L'ORAL		À L'ÉCRIT	
	Acquis	En cours d'acquisition	Acquis	En cours d'acquisition
– rédiger des arguments pour une campagne de prévention ou de promotion	☐	☐	☐	☐
– rédiger une dépêche de presse à l'occasion d'un événement	☐	☐	☐	☐
– raconter l'action, en expliquer les raisons, les objectifs visés	☐	☐	☐	☐
– commenter un fait de société	☐	☐	☐	☐
– comparer avec la situation dans mon pays	☐	☐	☐	☐
– me plaindre dans une lettre formelle	☐	☐	☐	☐
– protester	☐	☐	☐	☐
– demander une aide pour régler un problème	☐	☐	☐	☐
❋				
– comparer des attitudes et des règles de vie en ville avec celles de mon pays	☐	☐	☐	☐
– formuler des règles	☐	☐	☐	☐
– rédiger un dépliant municipal d'information	☐	☐	☐	☐
– exprimer mon indignation, protester	☐	☐	☐	☐
– justifier mon indignation, mes réactions par une action passée	☐	☐	☐	☐
– faire un reproche	☐	☐	☐	☐
– m'excuser	☐		☐	
❋				
– rédiger un compte rendu sur des échanges de points de vue	☐		☐	
– rapporter un point de vue	☐	☐	☐	☐
– donner mon point de vue sur un sujet polémique	☐	☐	☐	☐

	À L'ORAL		À L'ÉCRIT	
	Acquis	En cours d'acquisition	Acquis	En cours d'acquisition
– exprimer des réserves	■	■	■	■
❋				
– m'exprimer sur des manifestations festives	■	■	■	■
– faire un projet pour une manifestation festive	■	■	■	■
– créer un poème sur la ville	■	■	■	■

DOSSIER 9

Je peux comprendre

	À L'ORAL		À L'ÉCRIT	
	Acquis	En cours d'acquisition	Acquis	En cours d'acquisition
– une information sur des dangers quotidiens	■	■	■	■
– un article sur Internet	■	■	■	■
– quelqu'un qui explique un comportement dangereux	■	■	■	■
– quelqu'un qui raconte une anecdote	■	■	■	■
– quelqu'un qui exprime un jugement sur un comportement	■	■	■	■
– une demande de conseil	■	■	■	■
– des recommandations, des mises en garde	■	■	■	■
❋				
– une page d'information publicitaire sur des objets	■	■	■	■
– des arguments commerciaux	■	■	■	■
– quelqu'un qui s'informe sur un objet	■	■	■	■
– des informations sur l'utilisation d'un téléphone mobile	■	■	■	■
– quelqu'un qui donne des précisions sur un objet, une innovation technologique	■	■	■	■
– des informations sur un mode de communication : le blog	■	■	■	■
– quelqu'un qui s'informe sur un mode de communication	■	■	■	■
– quelqu'un qui exprime la possession sans répéter l'objet	■	■	■	■
❋				
– des informations sur un service et son fonctionnement	■	■	■	■
– une publicité sur un lieu d'écriture	■	■	■	■
– quelqu'un qui présente un lieu insolite	■	■	■	■
– les différents genres d'écrits	■	■	■	■
– un article sur l'écriture et les Français	■	■	■	■
❋				
– un texte récité (slam)	■	■	■	■
– des informations sur un nouveau mode d'expression (le slam)	■	■	■	■

Je peux m'exprimer et interagir

	À L'ORAL		À L'ÉCRIT	
	Acquis	En cours d'acquisition	Acquis	En cours d'acquisition
– rédiger une enquête sur l'utilisation d'Internet	■	■	■	■
– m'exprimer sur Internet et son utilisation	■	■	■	■
– interroger et répondre à une enquête	■	■	■	■
– rapporter les réponses d'une enquête	■	■	■	■
– comparer les résultats d'une enquête	■	■	■	■
– rédiger une lettre pour le courrier des lecteurs	■	■	■	■
– exprimer un jugement sur une situation	■	■	■	■

	À L'ORAL		À L'ÉCRIT	
	Acquis	En cours d'acquisition	Acquis	En cours d'acquisition
– formuler des recommandations, des mises en garde	◻	◻	◻	◻
– rédiger un article de magazine de presse courante	◻	◻	◻	◻
❋				
– m'exprimer sur le téléphone mobile	◻	◻	◻	◻
– présenter un objet, une innovation technologique	◻	◻	◻	◻
– présenter des arguments pour convaincre	◻	◻	◻	◻
– présenter les avantages d'un objet	◻	◻	◻	◻
– décrire la fonction, le fonctionnement d'un objet	◻	◻	◻	◻
– s'informer sur un objet, une innovation technologique	◻	◻	◻	◻
– s'informer sur un mode de communication	◻	◻	◻	◻
– exprimer la possession sans répéter l'objet	◻	◻	◻	◻
❋				
– rédiger un message sur un site Internet pour m'informer	◻	◻	◻	◻
– réagir par écrit à une annonce	◻	◻	◻	◻
– m'informer sur le fonctionnement d'un service	◻	◻	◻	◻
– demander des précisions sur un service	◻	◻	◻	◻
– prendre des notes à partir d'une émission de radio	◻	◻	◻	◻
– rédiger un message à partir de notes	◻	◻	◻	◻
– résumer l'histoire d'un conte	◻	◻	◻	◻
– choisir un genre d'écrit précis et le rédiger	◻	◻	◻	◻
❋				
– réciter un texte scandé (slam), une chanson...	◻	◻	◻	◻
– utiliser les mots pour créer des objets imaginaires	◻	◻	◻	◻

Achevé d'imprimer en Italie par Grafica Veneta S.p.A. - Trebaseleghe (PD)
dépôt légal : 10/2007 - Collection n° 05 - Édition n° 03 - 15/5443/5